D0590812

Smile

Perhaps I know why it is man alone who laughs:
he alone suffers so deeply that he had to invent laughter.

FRIEDRICH NIETZSCHE

Life does not cease to be funny when people die any more than it ceases to be serious when people laugh.

GEORGE BERNARD SHAW

Van Bavo Dhooge verscheen bij Davidsfonds Uitgeverij:
Star
Stalen kaken. John Massis
Stoeipoes
Spookbloem
Sam Colt. Salvo
Surprise
Strafschop
Schaduwspel
Salieri. Sedes en Belli
SMAK

SMILE

of de pijnlijke lachkramp van Arthur Goetgebuur

Bavo Dhooge

Davidsfonds/Literair

Dhooge, Bavo
Smile of de pijnlijke lachkramp van Arthur Goetgebuur

Blijde-Inkomststraat 79-81, 3000 Leuven
Omslagillustratie en -ontwerp: B2

D/2005/0201/15
ISBN 90-6306-521-3
NUR: 301

Toen Arthur Goetgebuur op een ochtend eind februari in het eerste onvoorziene schrikkeljaar van deze eeuw wakker werd en de glimlach op zijn gelaat merkte, raakte hij niet onmiddellijk in paniek. Hij bleef liggen, zijn ene been boven de deken, en probeerde te achterhalen waar die glimlach vandaan kwam. Het was voor Arthur Goetgebuur niet ongewoon om glimlachend te ontwaken, maar dat die glimlach ook bleef toen hij volledig wakker en bij zijn verstand was, dat was minder gewoon, ja zelfs vrij verrassend. Vanuit zijn bed had hij een mooi uitzicht op een paar eenzame takken van de kale kastanjeboom die als een schim naast de lantaarnpaal stond. Het was een kale, pure ochtend, zonder veel verwachtingen en verrassingen in het verschiet. Een tijdje liet Goetgebuur het beeld van de troosteloze kastanjeboom tot zich doordringen, maar hij voelde geen verandering. Hij trok de deken tot net onder zijn kin en probeerde zich een mooie droom te herinneren. Had hij sowieso wel gedroomd en zo ja, was het weer zo'n droom waarin hij gewoon naar kantoor ging, waar alles verliep zoals normaal? In zijn jonge jaren had Goetgebuur nog levendige en kleurrijke dromen gehad, films bijna, die zich heel accuraat en met een bijna technische volmaaktheid op zijn netvlies afspeelden. Meer dan eens, toen hij nog niet getrouwd was, kroop hij vroeg onder de wol en zette de televisie in zijn eigen hoofd aan. Later, toen hij zijn eerste romances beleefde, droomde hij niet langer. Het leven was zelf een droom geworden, een slagzin die hij zou gebruiken voor een reclamespotje voor een nieuw merk van vloerverwarming. Daarna kwamen de jaren van stress, een gevoel van negatieve opwinding waar Goetgebuur moeilijk mee om kon. In die tijd was hij vooral onderhevig aan onbegrijpelijke dromen, surrealistische hersenspinsels en morele vraagstukken. Met een soort primitieve angst ging hij elke avond slapen, niet omdat de dromen zo vreselijk waren, maar uit vrees dat hij ze weer niet zou begrijpen. Sinds een paar jaren waren zijn dromen dagelijkse sleur geworden, niet veel interessanter en spannender dan een bezoek aan de supermarkt of een wandeling door de gangen van het kantoor. Dromen deed hij enkel nog op automatische piloot, als een rit op de snelweg.

Goetgebuur bleef in bed liggen en trachtte een reden te achterhalen voor de vreemde glimlach op zijn gezicht. Tevergeefs, de oorzaak moest blijkbaar elders worden gezocht.

Hij probeerde zijn spieren te ontspannen. Het baatte niet. Zijn gezicht voelde even gevoelloos en kalm aan zoals elke ochtend, maar rond zijn mond zaten de spieren vast. Zijn lippen waren stijfgespannen, niet volledig omhoog gekruld, maar toch geplooid tot een zachte welving. Dat voelde hij zelfs zonder in de spiegel te kijken. Neen, Goetgebuur wist het: die glimlach kreeg hij er met de beste wil van de wereld niet af.

Hij stak zijn hoofd onder de deken, waar het zacht en warm was en hoopte dat dit zou helpen. In een vluchtige vlaag van nostalgie kwam een herinnering bovendrijven uit zijn kindertijd, toen hij zich verborgen en geborgen voelde met de deken boven zijn hoofd en de zachte geur van de slaap hem een idee van oneindigheid en tijdloosheid gaf. Maar misschien was deze glimlach zoiets als spit? Hij kon het beste doen alsof er niets aan de hand was en wachten tot het pijnlijke euvel er weer uitschoot. Terwijl hij onder de deken lag, voelde Goetgebuur plots nog iets anders: een troosteloze eenzaamheid, ook al lag zijn eigen vrouw naast hem. De vlucht in het vage vacuüm onder de deken bood in zijn kindertijd een bescherming tegen de soms harteloze wereld van klasgenootjes. Even wist Goetgebuur zich betrapt omdat hij zich verstopte voor de blik van zijn eigen vrouw. Je bent veel te gevoelig, Arthur Goetgebuur, dacht hij. De fout ligt niet bij je vrouw of bij de anderen, de fout ligt bij jezelf. Wie ben jij om je zo belachelijk sensitief op te stellen? Wie denk je wel dat je bent om je zo boven de rest te verheffen en te doen alsof je een diepzinniger innerlijk hebt? Ga toch mee met je tijd en doe normaal, man! Wees niet zo naïef en schijnheilig.

Voorzichtig kwam Goetgebuur uit bed en wandelde vrijwel nonchalant naar de badkamer waar hij voor de spiegel ging staan. Het was inderdaad een glimlach, daar viel nu niet langer over te discussiëren. Twee seconden geleden kon je er nog gewoon over spreken zoals je speculeert over een vallende ster of een onbekend vliegend voorwerp dat je zogezegd had gezien. Maar hier stond-ie dan. Het was een glimlach, niet echt breed te noemen, maar toch een glimlach.

Goetgebuur liet wat koud water in de wastafel lopen en dompelde in één beweging zijn hoofd onder. Het water stak en brandde als de hitte van de zon. Onbewust was Goetgebuur in zijn leven geëvolueerd van een sloddervos met een kinderlijke naturel tot een gesofisticeerd wezen. Zelden of nooit ging hij nog de deur uit zonder zijn hele lichaam, zijn haar, zijn schaamstreek en zelfs zijn anus grondig te hebben schoongemaakt. Het was bijna het enige wat hem nog restte. Alsof dat het enige was wat hij nog onder controle had: de buitenkant van zijn lichaam. Net zoals sommige mensen de hele dag aan de loopband in de fabriek staan en op zondag met hun perfect gewassen wagen uitpakken. Zo leek Arthur Goetgebuur enkel nog zin te geven aan zijn bestaan door zijn uiterlijk tot in de puntjes te verzorgen. Het was een hobby geworden.

Enkele seconden later hief hij zijn hoofd weer op en hapte naar lucht, want het water was werkelijk ijskoud. Er was niets veranderd. De druppeltjes sijpelden langzaam langs de krulling van de lippen omlaag. In het hobbelige reliëf van zijn ringbaard kregen ze het moeilijk, maar toch bereikten ze de onderkant van zijn kin waarna ze kleine zelfmoordsprongetjes naar beneden waagden.

Het was op zijn minst een vreemde ervaring. Goetgebuur herkende zichzelf bijna niet meer. De weinige keren dat hij zichzelf had gezien met een glimlach op zijn gelaat, was op foto's en zelfs dan ging het om unieke exemplaren. Goetgebuur was natuurlijk wel een normaal mens, misschien zelfs iets te normaal voor zijn eigen goed. Hij had een gezicht dat niet echt evenwichtig in elkaar stak. Een onbewaakte glimlach, die had hij wel. Hij was niet meteen de man om op barbecues of feestjes te staan schaterlachen en zich op de billen te slaan. Neen, zijn glimlach was doorgaans natuurlijk en toch bedachtzaam, alsof hij meestal lachte om iets dat de moeite niet was of om iets dat niet de moeite was om begrepen te worden. Zoals alles in het leven van Arthur Goetgebuur was ook zijn lach vrij gewoon en saai. Hij had zich altijd al vrij achterdochtig opgesteld tegenover extremen. Extreme gevoelens, gedragingen en gedachten beschouwde hij als *fake*. Volgens hem zat je veeleer op het juiste spoor als je gematigder door het leven ging. Niet alleen stelde hij zich daardoor ondoordringbaarder op, het kostte hem ook minder moeite. Wanneer hij dan toch af en toe eens lachte, nam zijn omgeving dat op als een teken van behagen, van wijsheid of gewoon van aanwezigheid.

Ja, nu hij er dieper over ging nadenken, moest Goetgebuur wel concluderen dat die rustige glimlach bij hem paste. In normale omstandigheden, welteverstaan. Geen fulltimeglimlach. Nu stond hij dus met een glimlach op zijn gezicht die na een kwartier alle spontaniteit verloren had.

Terwijl hij zich bukte om de stop uit de wastafel te trekken, schrok hij van zijn weerspiegeling in de kraan. De realiteit werd dubbel verwrongen, alsof hij een parallelle wereld was binnengedrongen. Een waanwereld die ook letterlijk een weerspiegeling was van zijn ziekelijke geest. Zijn gezicht nam opeens heel belachelijke proporties aan door de groteske uitvergroting van de glimlach.

Goetgebuur ging met zijn duim en zijn wijsvinger over zijn lippen, trok de bovenlip enkele centimeters omhoog om te zien of er niets tussen het tandvlees verscholen zat. Wist hij veel, misschien een zenuw die geraakt was?

Omdat het door dit oponthoud ondertussen al tien voor acht was geworden, begon Goetgebuur langzaam zijn kaken te masseren. Hij drukte de toppen van zijn vingers zachtjes in zijn huid en maakte rondjes zoals hij aftershave gebruikte. Af en toe trok hij de huid en de kaken met opzet wat omlaag, in de hoop dat hij er zo makkelijk vanaf zou komen. Maar dan sprongen de lippen weer op hun plaats en toverden met brio de grijns te voorschijn.

Was het een grijns? Goetgebuur durfde het niet met zekerheid te zeggen, maar hoe langer hij naar die glimlach keek, hoe meer het op een grijns leek. Was hij zichzelf aan het uitlachen? Of hield hij zichzelf gewoon voor de gek? Op het eerste gezicht leek die lach normaal en natuurlijk, maar na een tijdje kreeg hij het etiket van gemaakt, geforceerd, onecht. Dat kon ook niet anders.

Welke zinnige mens kon een glimlach langer dan twee minuten op zijn gelaat houden? Dat was ook de kernboodschap in het wetenschappelijke artikel in *Time Magazine* over de *Mona Lisa* van Da Vinci. Wanneer je vluchtig naar het schilderij keek, zag je de oprechte glimlach van een mooie vrouw, maar wanneer je bleef kijken, verdween die glimlach en kwam er een pijnlijke grimas in de plaats. Datzelfde artikel legde op die manier ook de link naar het menselijke bestaan zelf. De lach van de *Mona Lisa* werd een symbool voor de verwondering en de beleving van de nieuwe ervaring. De auteur stelde dat iedereen met een spontane en nietsvermoedende blik in het leven wordt geworpen, maar nadien, gaandeweg door ervaring, dat initiële gevoel van levendigheid voelt verstarren. Het was hetzelfde als een mop die je voor de derde of vierde keer hoort. Arthur Goetgebuur begon zich, eerlijk gezegd, een beetje te voelen als *Mona Lisa*.

Hij besloot er niet meer aan te denken en verder te gaan met zijn dagelijkse routine, in de hoop dat zijn geregelde bestaan sterk genoeg was om dit ding vanzelf te verdrijven. Hij waste zich en kleedde zich aan. Het scheren verliep iets moeilijker, deels omdat hij niet gewoon was zijn lippen zo breed te zien. Hij moest bijna minutieus te werk gaan met het mesje dat lichtjes trillend in de twee kuiltjes aan weerszijden van de lach bleef steken. Het kon een scène uit een goedkope horrorfilm zijn; hij had al visioenen van tergend traag druipende bloeddruppels die uiteindelijk een plas op de koele vloer vormden en in de reflectie ervan een grijnzend lijk toonden. Heel vreemd toch, bedacht hij, dat de meest pietluttige maar onverwachte details ons onmiddellijk aan het ergste doen denken.

Terwijl hij zijn stropdas dichtknoopte, bedacht hij dat zijn hele uiterlijk was veranderd door de idiote lach op zijn gezicht. Zijn hele verschijning aan de buitenwereld, misschien niet helemaal stijlvol maar toch voornaam, wankelde: plots leek zijn haar helemaal verkeerd te liggen. Zijn haar, dat hij nu al meer dan twintig jaar op dezelfde manier kamde, kon nu *en sortie* met die glimlach onmogelijk nog door de beugel. In plaats van het met een laag gel als een door burgerloorlog verscheurd land in twee fronten op te delen, met hier en daar een guerillaheuvel of rebellenpiek, liet hij het nu een beetje verwaaid opzijliggen. Verder wist Arthur Goetgebuur van zichzelf dat hij vrij onrustige ogen had en dat die ogen in combinatie met die lach een ander effect zouden krijgen. Maar ja, daar kon hij niets aan veranderen. Hij kon zijn ogen moeilijk de hele tijd dichthouden; dàt, in combinatie met de lach, zou dodelijk zijn. Toen hij klaar was, bekeek hij het resultaat en kwam tot de vaststelling dat hij zich had opgemaakt om naar het front te gaan. Althans, dat gevoel overheerste, hetzelfde gevoel als bij de uitnodiging op een receptie of de uitreiking van de *beste commercials* van het jaar. Was deze glimlach de start van een nieuw bestaan? Was hij klaar om de afscheidstoespraak van zijn vorige bestaan op te dreunen en zich vol overgave en met blind vertrouwen op zijn nieuwe roeping te storten? Zo ver wilde hij het alsnog niet laten komen. Maar diep vanbinnen schommelde het heen en weer, niet wetende welke kant het zou uitgaan, niet wetende of het de goede kant of de kant van de waanzin betrof.

In normale omstandigheden ging Goetgebuur nu naar beneden, naar de keuken waar hij zijn vast ontbijt nam met twee gebakken eieren en toast en koffie, en waar hij met de *Boekenbijlage* op zijn knie de dag vanzelf liet beginnen. Dat kon dus nu niet. Hij kon moeilijk doen alsof er niets aan de hand was en trouwens: hij wilde zijn vrouw Aline niet de stuipen op het lijf jagen en haar beneden met die vreselijke glimlach zitten opwachten. De plotse kijk op een onverwachte ontwikkeling in hun bestaan zou haar misschien achterdochtig maken. Aline was niet het type om van een mug een olifant te maken, maar toch was Goetgebuur bevreesd. In de eerste plaats kon hij haar geen passend antwoord geven op dit vraagstuk en bij gebrek aan een logische verklaring zou het weleens kunnen gebeuren dat ze andere, verkeerde conclusies trok. Voor zover Goetgebuur zijn eigen vrouw kende (en dat is altijd tot op een zekere hoogte), zou ze zich onmiddellijk verliezen in allerhande venijnige oorzaken. Ze zou hem er misschien van verdenken dat hij iemand anders had leren kennen en verliefd was geworden. Of ze kon ervan uitgaan dat hij gewoon gelukkig was, of erger nog: dat hij zich gelukkig voelde met haar, zonder dat ze het zelf besefte, of dat geluk had gecreëerd. Want Aline was hoe dan ook een beetje een controlefreak en in die zin zou het haar wellicht van streek maken.

Neen, het beste was om er zonder ontbijt vanonder te muizen en de dingen op zijn beloop te laten. Geen slapende honden wakker maken, dacht hij. Hij kon zijn vrouw van op zijn kantoor nog bellen en haar vertellen dat er iets tussen was gekomen. Een vreemde glimlach, namelijk.

Hij deed het licht uit, verliet de badkamer en bekeek in de lichte schemering van de slaapkamer zijn vrouw die onder de deken lag. Ze sliep zoals altijd met één arm boven haar voorhoofd alsof ze een flauwte had gekregen of zich wilde beschermen tegen invloeden die haar dromen konden verstoren. Even flitste het Goetgebuur door het hoofd dat zijn vrouw misschien ook met een grijns op haar gezicht lag. Als zulke dingen gebeuren, waarom zouden ze dan alleen bij hem gebeuren en niet bij iemand anders? Misschien was hij pardoes in zijn eigen *Day of the Triffids* beland en was de hele wijk in de ban van een vreemd virus of een buitenaardse straling, die hen allemaal als volslagen idioten liet glimlachen. Even nam een gevoel van spanning de bovenhand; misschien kon hij van dit vreemde voorval iets maatschappelijk relevants of desnoods gewoon onderhoudends maken. Als gefrustreerde copywriter nam zijn ziekelijke en ambitieus literaire brein voor heel even het roer in handen en begon het al na te denken over een eventueel idee voor een originele roman.

Op zijn tenen sloop hij naar de andere kant van het bed, bukte zich en trok heel zachtjes de deken een beetje naar beneden. Hij had het kunnen weten. Bij zijn vrouw was zelfs geen teken, geen aanzet tot een glimlach te bespeuren. De mondhoeken hingen triestig en onherroepelijk als een treurwilg naar beneden. De opwinding maakte onmiddellijk plaats voor zelfbeklag. Op het gebied van tegenslagen had Goetgebuur in zijn leven niet te klagen. Tot nu toe had hij enkele zware klappen te verduren gekregen, maar vanuit een soort van relativeringsvermogen zag hij die cruciale momenten als verplichte kost. Het verlies van een ouder overkomt bijna iedereen, en of dat nu gebeurt op volwassen of op jonge leeftijd, maakte al bij al weinig uit voor Arthur

Goetgebuur. Hij gebruikte die tegenslagen niet meteen als een excuus, maar ze gaven hem wel een heerlijk gevoel van ernst en onbekommerdheid. Niemand probeerde hem echt te raken of nam de moeite om hem te analyseren omdat ze veronderstelden dat er toch te veel werk aan zijn persoonlijkheid was. Bovendien was het alsof men hem meed wanneer het de emotionele toer opging, bevreesd wellicht om een finale uitbarsting van alle trauma's. Maar Goetgebuur voelde zich lekker in die positie: hij profiteerde van de apathie en deed alsof dat hem naar recht en rede toekwam. En vreemd genoeg geloofde Goetgebuur dat de vier of vijf grote tegenslagen in zijn leven een zegen waren geweest omdat ze zich nu al hadden voltrokken. Wat enkel nog kon volgen, waren kleine ongemakjes. Door de vroege dood van zijn vader, een trauma van isolement en hypergevoeligheid in zijn kindertijd, een volstrekt gebrek aan inlevingsvermogen bij het andere geslacht én de wetenschap dat hij nooit de Nobelprijs voor literatuur zou winnen, was hij bevrijd. Bevrijd van enige ambities en van enige zin van leven. Hij was en leefde. Dat was alles en meer dan genoeg.

Met een hand aan de deurknop overwoog Goetgebuur zijn vrouw alsnog wakker te maken, maar hij besloot er toch van af te zien en haar te laten slapen. Het kon best zijn dat die krampen in zijn gezicht na een uurtje al verdwenen waren en dan had hij zijn vrouw nodeloos wakker gemaakt. Welk excuus zou hij dan moeten bedenken?

Neen, laten slapen, dacht Goetgebuur, het is maar een glimlach.

Op perron zeven van het station merkte Goetgebuur dat de mensen hem aanstaarden. Het was winter, het sneeuwde en dus droeg hij een dikke overmantel en een zware sjaal waarmee hij het grootste deel van zijn mond kon verbergen. Maar af en toe zakte de wollen sjaal naar beneden en kwam die glimlach even piepen. Dat moet een lichtjes vreemd, ja, zeg maar akelig gezicht zijn voor een gewone reiziger. Verdwaasd staarde Goetgebuur naar de roestige rails die naar andere, onbekende horizonten leidden. Wat hij voelde was onbeschrijfelijk: opgelucht en bezorgd tegelijkertijd, een outsider en toch het middelpunt van de belangstelling, op weg naar ergens en nergens. De bedeesde blikken van voorbijgangers en reizigers prikten in zijn rug, alsof ze hem beetje bij beetje dichter bij de rand van het perron dreven in de hoop dat hij zelf de laatste stap zou zetten. Tussen twee rails lag een verrot klokhuis van een appel, helemaal verdord en verkoold bijna, zwart als roet. Goetgebuur vroeg zich af hoe lang het daar al lag. Het was een onderdeel geworden van de bedrukkende omgeving van het treinstation. Zonder kleur, zonder doel en zonder bescherming schoof het elke dag misschien een paar centimeter op, met de wind mee, en zelfs de vogels en insecten hadden er geen belangstelling voor.

Goetgebuur zette een stap achteruit en verstopte zich achter het uithangbord met de dienstregeling. Hoewel hij al meer dan zes jaar dezelfde trein op hetzelfde uur nam, was hij niet zeker of de uren uitgerekend vandaag niet waren veranderd. Helaas leek de rest van de wereld ongewijzigd en met de naakte glimlach op zijn gelaat kwam hij vanachter het gele bord te voorschijn en probeerde zich af te wenden van de passagiers. Naast hem stonden twee meisjes met een paar sportzakken, klaar om hun kamer in de grootstad op te zoeken. Ze waren druk in gesprek verwikkeld, maar konden het niet laten om Goetgebuur af en toe eens toe te lachen. Goetgebuur stak zijn kop in het zand, voor zover dat mogelijk is op een perron. Zijn hele leven had hij zich nooit echt op zijn gemak gevoeld bij het andere geslacht. Het was hem gewoon nooit gelukt om de afstand tussen hen te overbruggen. Hij was de eerste om ermee in te stemmen dat vrouwelijke specimens volstrekt andere wezens waren, maar de laatste om te begrijpen hoe hij ze moest aanpakken. In de alledaagse omgang had hij zijn tactiek tegenover vrouwen steeds aangepast, vanuit de veronderstelling dat het aan de man was (het sterke geslacht) om de eerste stap te zetten. De afwachtende houding, de zachte toenadering, de bruuske aanval, het stille negeren, de overdreven joviale vriendschappelijke relatie en zelfs de zakelijke benadering: hij kon ze zich geen van allemaal toeeigenen. Zeer tot zijn verwondering was hij getrouwd geraakt met Aline, wellicht omdat zij een van de weinige vrouwen was die met hetzelfde probleem worstelde. Misschien hadden ze er zich onbewust bij neergelegd dat ze elkaar nooit zouden begrijpen, en dus werden er op dat vlak ook nooit vragen gesteld. Maar die bepaalde ochtend op het perron voelde Goetgebuur zich extra onwennig tegenover de meisjes met hun sportzakken. Honderden meisjes als deze had hij al gepasseerd en met de jaren was hij ze als vanzelfsprekend gaan beschouwen en had hij ze daarom ook vluchtig even opgesnoven, als een goedkoop parfum, zonder zich daarbij af te vragen waaraan die geur hem deed denken of welke ingrediënten ze bevatten. Hij keek welgeteld twee keer op, en één keer moest het meisje met het korte haar hardop lachen, waarna ze haar hoofd achterover sloeg, een tic, bijna even erg als de glimlach van Goetgebuur. Woorden als 'schaamte' en 'sul' schoten door zijn hoofd, maar hij besloot er zich voorlopig niets van aan te trekken.

Het gesis van de automatische treindeuren refereerde aan een oud leven dat werd verbrand. Welkom in de nieuwe wereld, leek het wel te luiden. Welkom, Arthur Goetgebuur, in de tovertrein die je naar een ander bewustzijn zal brengen. Hij hoopte inderdaad geleidelijk aan in een andere sfeer te belanden, alsof de glimlach niet meer dan een voorteken was van iets groters, iets verheveners.

In het begin van de rit kon Goetgebuur zich nog uit de slag trekken door de glimlach te laten vergezellen van een zacht knikje. Dat werkte bij een paar mensen, onder meer bij iemand met het uiterlijk van een ambtenaar. Maar het was een lange rit naar zijn kantoor in het centrum van de grootstad en dat bescheiden *wat een mooie dag is het toch*-gevoel kon hij onmogelijk aanhouden. Natuurlijk moet je zo'n treinrit ook kunnen relativeren. De helft van de reizigers zat met een walkman op naar de grond te staren of de krant te lezen. Iets verderop, naar het einde van de coupé, boog een man met zijn stropdas nog in de zak van zijn driedelige maatpak over een laptop. Af en toe tikte hij iets op het toetsenbord en draaide toen zijn hoofd naar buiten waarna hij een *slaper* uit zijn oog haalde. Het probleem zat hem in de andere helft van de reizigers die niets anders te doen had dan rond te kijken, de blik vast te pinnen op een lachende dwaas en uiteindelijk zijn ogen uit te kijken.

Net voor Goetgebuur aan zijn halte uitstapte, bood hij een jonge moeder met haar zoontje, dat hem al de hele tijd aanstaarde, zijn plaats aan. Te midden van alle vervreemding en tumult in zijn eigen bestaan, vroeg Goetgebuur zich af waarom het kind niet op school zat. Was het ziek of had het familiale problemen? Hoe dan ook, het leek uitgesloten dat het kind elke dag met de trein naar school ging. Het kon amper zes jaar oud zijn. De moeder had eerst nog tegen haar zoontje gezegd dat het onbeleefd was zo te staren en dat hij ermee moest ophouden als hij geen tik wou. Ze lachte een paar keer verveeld naar Goetgebuur, die uiteraard vriendelijk teruglachte (en bleef teruglachen). Maar even later was ook de moeder zelf beginnen staren en toen Goetgebuur haar zijn plaats aanbood, weigerde ze ostentatief en legde ze zelfs een arm over de schouder van haar lieveling. Ongetwijfeld huishoudelijke problemen, dacht Goetgebuur en alsof ze zijn gedachten kon lezen, zocht de moeder meteen een andere coupé op. Ze worstelde een moment lang met de tussendeur, toen die op het onbewaakte ogenblik en zonder dat ze het nog zelf verwachtte, plots opengleed en een uitweg bood. Echt een vrouw met problemen.

In de grootse, reusachtige stationshal van de grootstad besloot Goetgebuur om een krant te kopen en nog een koffie te drinken in een klein café. Normaal kocht hij altijd een magazine, nooit een krant. Goetgebuur hield niet eens van de directe verslaggeving in kranten. Even later zat hij, zeer tegen zijn zin, binnensmonds te vloeken op de actualiteit die in zijn ogen elk vooruitzicht op een betere toekomst uitsloot.

Af en toe keek hij op en voelde zich beter worden. Rustiger. Meer dan eens had hij het bestaan en het leven in zulke ondergrondse aangelegenheden zoals het station of de metro geromantiseerd. 's Ochtends de onderwereld binnengaan en 's avonds terug huiswaarts keren zonder ook maar één glimp van daglicht te mogen aanschouwen, sprak Goetgebuur wel aan. Sporadisch benijdde hij zelfs een dakloze of een straatmuzikant die het grote geluk vond als hij genoeg muntstukken had gekregen om in de ondergrondse broodjeszaak iets te kunnen kopen. Goetgebuur was jaloers op deze primitieve en eerlijke situatie en heel even, daar op het donkere terras gezeten, dacht hij eraan zijn oude bestaan vaarwel te zeggen en met zijn glimlach *on the road* te gaan. Van stad tot stad, slapend in verlaten metrostellen en leven van de gunsten en de diensten van zijn medemens. Het leek hem eens wat anders.

Hij scheurde een stukje van het melkdoosje kapot, maar zoals altijd waren zijn nagels niet scherp genoeg om de klus netjes af te maken. Het werd een knoeiboel en uiteindelijk moest hij weer met zijn pink het gat groter maken om de melk helemaal te laten ontsnappen. Zo bleven de kleine ongemakken hem parten spelen terwijl het grote onheil zich op de vlakte hield, maar hem wel langzaam klem zette.

De dag was nu toch al om zeep met dit gedoe, dus kon hij ook maar te laat op zijn werk komen, dacht Goetgebuur. Hij zat er niet echt mee verveeld. Terwijl hij zijn kop koffie zoveel mogelijk aan zijn mond hield, doorbladerde hij aan een vlug tempo de krant, op zoek naar interessante artikels die hem konden helpen bij zijn belachelijk goede ochtendhumeur. Ja, dat was eigenlijk nog zoiets: Goetgebuur had geen goed ochtendhumeur. Hij had geen humeur *tout court*. Wanneer mensen het hadden over nachtuilen of ochtendvogels, voelde Goetgebuur zich als het jongetje dat op de speelplaats altijd als laatste werd uitgekozen om een team te vervolledigen. Hij was het een, noch het ander. Hij vormde een categorie op zichzelf. Vreemd genoeg was Goetgebuur geen frisse ontwaker, geen diesel die pas 's avonds op gang kwam, en zelfs ook geen gezonde middagmens. Hij was niets van dit alles: hij voelde zich nooit echt ergens buitengewoon goed of slecht.

Ook die bepaalde dag was hij dus niet eens in een goede bui. Matig was een beter woord. Als zijn mond dan toch een bepaalde uitdrukking wilde aannemen die overeenkwam met zijn humeur, dan kon dat hooguit een strak gespannen lijn zijn.

In de krant vond Goetgebuur algauw enkele artikels die de moeite waard waren. Hij las een paar korte, maar drastische stukken over de toestand in Irak. De rebellenoorlog die steeds vuriger losbarstte na het vertrek van de Amerikanen, of de zaak van de vrouwelijke Brits-Irakese vrijwilligster die als eerste vrouw onthoofd werd door een ultra-extremistische moslimbeweging. De foto toonde een wanhopige vrouw die recht in de lens keek en om haar leven smeekte. Goetgebuur herinnerde zich nog het verbijsterende gevoel van alledaagsheid toen hij een paar weken eerder al de eerste Brit via een televisiezender hoorde verklaren dat de mensen achter zich tot erge daden in staat waren. Op de duur viel de Brit elke avond de huiskamer binnen met zijn stand van zaken en werd hij aan het einde genadeloos afgevoerd, als een personage dat in een soap van de kliffen valt. De wijze waarop het journaal over de onthoofdingen sprak, liet Goetgebuur soms twijfelen aan de waarheid. Het ene moment zag hij iemand op zijn knieën zitten die zich richtte tot de eerste minister van Groot-Brittannië, het andere moment werd zijn hoofd op gruwelijke wijze van zijn lichaam gescheiden en in de goot gegooid. Meer nog, zoals vroeger onschuldige pornobestanden op kantoor werden doorgemaild, zo werden nu de links van sites doorgemaild waar de executies te zien waren. Blonde pornosterren die een paard pijpten hadden afgedaan en moesten plaats ruimen voor mannen met kappen over hun hoofd met het zwaard in de aanslag. De woorden op het dunne papier waren misschien net iets minder sterk dan de beelden op televisie en dus bladerde Goetgebuur rustig door. De alarmerende toestand in het Midden-Oosten sloeg hij over, vanuit de veronderstelling dat daar alles bij het oude was gebleven en de hele oneindige oorlog over zijn hoogtepunt was. Er vielen nog altijd evenveel slachtoffers aan beide kanten als tevoren, maar de impact was niet meer zo groot. Voor Goetgebuur was het hoogtepunt bereikt toen een Palestijnse vader, achter een ton gezeten, zijn zoon van twaalf beschermde tegen een vuursalvo van Israëlische kogels. In het journaal was de vader het ene moment nog druk bezig zich voor zijn nakomeling te werpen, en na een visuele onderbreking waarbij de rook van een granaatexplosie als een mistgordijn optrok, lag de jongen dood in de armen van zijn vader. Niet voor gevoelige kijkers, leek het abstracte intermezzo te willen zeggen. Wat Goetgebuur toen was bijgebleven, was de opperste blik van wanhoop en shock bij de vader die de ogen alsmaar in cirkelvormige bewegingen naar de hemel opsloeg. Dit beeld probeerde Goetgebuur altijd als het even moeilijk ging, af te spelen in de draaimolen van zijn geest, en hoe vaker hij dit deed, hoe meer hij ertegen bestand was. Hij fabriceerde een beschermende laag van gruwelbeelden die de deur tot zijn innerlijke dichthield. Ook nu weer riep hij dit beeld van absolute zinloosheid op, maar het baatte niet.

Goetgebuur zette de kop koffie neer en meende zelfs in de romige melkstructuur een glimlach te zien. In de rubriek *Mediawatching* werd hij geconfronteerd met de verkiezingsrace in Amerika. De twee portretten van de presidentskandidaten werden tegenover elkaar uitgespeeld. De drie openbare debatten waren nu achter de rug en het leek erop dat John Kerry het nipt zou halen van George Bush. De vraag wie uiteindelijk zou winnen, hield Goetgebuur niet bezig, wel wie van beide de meest gemaakte glimlach had. Zijn blik doorboorde de pixels van de foto's en na beraad kwam hij tot de conclusie dat er geen verschil te merken was. Misschien waren zowel Bush als Kerry op een ochtend opgestaan met een soortgelijke glimlach en hadden ze er beiden simpelweg hun handelsmerk van gemaakt. Was Arthur Goetgebuur geboren in een republiek als de VS en niet in een saaie monarchie, dan had hij het misschien nog kunnen schoppen tot president. Als toetje viel zijn oog ten slotte op een paar statistieken die telkens in aparte kadertjes waren vermeld. De werkloosheid steeg zienderogen, het pensioen zakte tot er wellicht weinig of niets meer over zou zijn en de tegenstrijdige berichten bleven gelijk: vermeldingen over de toenemende welvaart van dit land dat met stip de top-tien van de wereld binnenviel, werden tegengesproken door kleine incidentjes, zoals nachtlawaai boven de grootstad en een vloed aan familiedrama's. In een vlaag van wanhoop zocht Goetgebuur zijn heil in achterhaalde artikels over schrijnende armoede in Ethiopië en overstromingen in Madagascar. Maar dit waren niet meer dan – wat Goetgebuur noemde – mediageile rampen uit het tijdperk van de jaren tachtig. Ze boden geen soelaas en dus was het ondertussen duidelijk geworden dat Goetgebuur er helemaal alleen voor stond. Zelfs de rest van de wereld, met haar negatieve geschiedenis, kon hem niet helpen.

Wat is hier toch aan de hand, vroeg hij zich bijna hardop af. Langzaam liet hij de krant weer zakken en staarde verbouwereerd, maar nog altijd glimlachend, naar het bord met vertrek- en aankomsturen. De kleine bordjes met gegevens flipten naar beneden en toonden de route naar de wereld.

Terwijl de treinstellen boven hem voorbijraasden, maakte Goetgebuur de som van het voorbije uur op. Hij was nog steeds niet in paniek, maar vond het wel tijd om een paar zaken op een rijtje te zetten. Hij kon naar kantoor vertrekken en proberen zo weinig mogelijk collega's te ontmoeten. Of hij kon bellen en zich ziek melden. De hoop dat het ding op zijn gezicht met de tijd zou verdwijnen, nam steeds meer af. Neen, die hoop moest hij maar eens laten varen.

Hij had een belangrijke lunchvergadering met klanten en de situatie was wel degelijk belangrijk genoeg om af te haken. Maar had het wel zin af te haken en zich zo te blijven verschuilen voor de buitenwereld? Werd een *outsider* niet verondersteld zich te *outen* en de rest uit te dagen?

Er bestonden genoeg trucs om de vergadering zo onopvallend mogelijk door te komen. Het was een lunchmeeting, dus kon hij zijn mond de hele tijd in beweging houden door op een broodje te kauwen, koffie naar binnen te gieten, te geeuwen en zelfs te praten. Maar hij zag zichzelf niet de hele vergadering volpraten, zoveel energie had hij niet en zo belangrijk was hij al bij al niet. Het ging tenslotte om een contract van grof geld.

De kantoren van het reclamebureau waar Arthur Goetgebuur nu al zes jaar werkte als *junior copywriter* lagen aan een grote boulevard die een koninklijke naam droeg. Wanneer je uit de tunnel of de ondergrondse kwam, leek de hele wijk wel iets van Parijs te hebben. Zomer of winter, de gebouwen bleven hun donkergrijze leisteen behouden en zelfs het zonlicht dat door de vertrekken binnenviel, was altijd 'te laat' waardoor het veeleer oranje was. Het reclamebureau bevond zich op de tweede verdieping van een statig herenhuis in art-nouveaustijl (de eerste verdieping stond al een tijdje leeg). Het was een relatief groot bureau met meer dan twintig werknemers waarmee Goetgebuur allemaal over de baan kon. Hijzelf betrok een groot vertrek aan de achterkant van het gebouw en moest de ruimte delen met een *art director*, een fan van een of andere Duitse nazaat van Wim Wenders. Ze zaten steevast tegenover elkaar op ideeën te broeden en werden verondersteld samen te werken en te 'coïteren', maar het was een feit dat Goetgebuur een man van het woord was en zijn kamergenoot een man van het beeld. Ze vulden elkaar dus wel aan, maar samenwerken, neen, dat was nog niet vaak voorgekomen. De tegenstelling tussen beide collega's viel al af te leiden uit de inrichting van hun kantoor. Omdat dit vroeger één groot salon was, bestaande uit een archaïsche voor- en achterkamer, was de indeling duidelijk geweest. Goetgebuurs collega, Jean Foret, had zich omringd met *arty-farty* posters van obscure Europese auteursfilms waarin doorgaans geen woord werd gesproken. Niet voor niets hield een affiche van het Festival van de Fantastische Film op de deur mogelijke indringers buiten. De kant van Goetgebuur blonk uit in soberheid en leegheid. Zelfs aan de mastodont van zijn computer was geen sticker, geen post-it te bespeuren. Achter hem, aan de muur bij het raam, hing pro forma een reproductie van een paar bloemen van Van Gogh, maar die had hij daar gehangen omdat die hem liet terugdenken aan een vakantie in de Provence, toen Aline nog parfum droeg. In alle honderden bungalows van het vakantiepark had dezelfde reproductie gehangen, op krak dezelfde plaats en hoogte, zodat het bijna leek dat er maar één werkelijke lokatie meer op aarde overbleef. Het volstrekt onpersoonlijke karakter van dit park stond hem wel aan, al was het een element dat buiten dit kader nergens terug was te vinden. Het schilderij met de geometrische perfectie van een reeks gele zonnebloemen in een weide was bijna onvindbaar geweest, maar uiteindelijk had hij het dan toch op de kop kunnen tikken. Eigenlijk had hij het gewoon van de muur van de wachtzaal van zijn tandarts geplukt.

Goetgebuur kwam bij de oprit van het reclamebureau en zag geen licht. Was hij de eerste? Toen schoot het hem te binnen dat de meeste werknemers gisteravond wellicht hadden overgewerkt om de presentatie voor de belangrijke vergadering in orde te krijgen. Hij slaakte een zucht van opluchting toen hij voorbij de lege receptie liep. Hij voelde zich als een verloren gelopen personage uit een oude Franse B-film, het soort dat in een motel terechtkomt en zich moet verstoppen voor een paar gangsters. Uit gewoonte liep hij naar de lift, maar toen hij door de openstaande deuropening zijn eigen gezicht zag naderen in de spiegel aan de wand, schrok hij. De lift was een gevangenis; hij kon dan wel met een gerust gemoed alleen in de kooi stappen, maar wie stond hem allemaal op de tweede verdieping op te wachten? Voor het eerst in zijn carrière nam hij dus de wenteltrap en die belevenis prikkelde hem. Het leek wel alsof de trap hem naar een andere lokatie zou loodsen; een geheime doorgang in een spookkasteel vol verborgen deuren en kamers. De kamers in zijn eigen hoofd? Langs de trap merkte hij zijn eigen schaduw op die zich in een bundel tijdloos winters zonlicht op de muur aftekende. Heel even hield hij halt en bewonderde de vaagheid ervan, het ontbreken van de zichtbare emoties en de afgelijnde trekken. De glimlach was daar niet te zien, net als de onrust in de ogen, al wist Goetgebuur dat die met het moment toenam.

Op zijn weg door de smalle gang die met zijn nissen en plafondplamuren de reputatie van het statige herenhuis hoog had gehouden, bereidde Goetgebuur zich psychologisch voor op de confrontatie. De confrontatie met een collega, met de poetsvrouw, met de maatschappij, en met zijn falen daartegenover. De zuur smakende misselijkheid die hij zovele keren had moeten trotseren op het college, net voor een mondeling examen, dook weer op. Hij proefde het onbehagen en hoorde de ongemakkelijke stiltes al, nog voor hij iemand had ontmoet. Misschien was het als vroeger en kon hij zich proberen voor te stellen dat hij gezakt was, dan viel het achteraf wel mee. Misschien moest hij nu wel aan het ondenkbare denken en zou de glimlach straks niet meer dan een illusie zijn. Een denkbeeldig, inwendig verschijnsel, zoals iemand die denkt dat hij een grote neus heeft of een slechte adem. Al bij al had niemand hem gewezen op de glimlach en misschien waren zelfs de abnormale blikken en de belangstelling op de trein niets meer dan een inbeelding geweest.

Arthur Goetgebuur was het soort man dat de zaken doorgaans ingewikkelder maakte dan ze waren. In die zin was hij behoorlijk paranoïde en meende hij dat men voortdurend 'met hem bezig was'. Hij was op zijn hoede en zocht altijd naar insinuaties tijdens een rondje smalltalk, steken onder water tijdens een vriendelijk meningsverschil, of vergelding tijdens een romantisch moment in het huishouden. De laatste tijd had hij het zelfs steeds moeilijker om de romantische bedoelingen van Aline als objectief 'goed gemeend' te beschouwen. Nooit kon hij haar eerste stap na een ruzie oprecht geloven en beschuldigde hij haar, zonder dit natuurlijk zelf uit te spreken, van oneerlijkheid. Alsof ze hem enkel nog kuste om de huisvrede te bewaren of om de volgende vakantie niet in de war te sturen. Hoe meer Goetgebuur zichzelf wijsmaakte dat alles een onderliggende betekenis had, hoe gefrustreerder hij werd en hoe meer hij onderliggende betekenissen ontdekte in alledaagse dingen en mensen.

Gelukkig was zijn kantoor die ochtend nog leeg. De geur van papier en kantoormeubelen overheerste en deed hem vermoeden dat hij inderdaad de eerste was. Vlug sloot hij de deur en nam plaats achter zijn bureau. Hij controleerde of alles nog op zijn plaats lag. De nieuwe edities van algemene woordenboeken, het spellingswoordenboek en een paar citatenboeken stonden gelukkig nog altijd tussen de twee koperen trofeeën die het bureau had gewonnen voor de beste commercial. Hij had opnieuw een houvast en tegelijk realiseerde Goetgebuur zich dat dit geen droom was, maar de gruwelijke realiteit. Het zwarte scherm van zijn dode computer gaf het antwoord op de niet-gestelde vraag: de glimlach was zelfs hier aanwezig. Terwijl die zwarte diepte hem elke ochtend deed denken aan de oneindigheid van de dood, dacht Goetgebuur nu aan zijn handicap. Want dat het een handicap was, stond vast.

Hij aarzelde om de computer aan te zetten en deed het toch maar niet. Opeens hoorde hij gestommel beneden en een paar onduidelijke stemmen. Voor het eerst raakte hij echt in paniek. Wat moest hij doen? Dit was voorlopig nog alleen zijn schande. Wie weet kon hij naar huis gaan, een nachtje slapen en zou hij de volgende ochtend weer normaal door het leven gaan. Hij mocht het niet riskeren om daar zomaar te blijven zitten. Snel stond hij op en opende de deur. Toen sloot hij ze weer. Als hij ze liet openstaan, dan liep hij kans om overvallen te worden. Toen opende hij ze weer. Wanneer hij ze dichthield, was er geen tijd meer om weg te duiken achter de computer of in de aanpalende ruimte waar de espressomachine stond. Ten slotte liet hij ze op een kier staan en knipte de paar schemerlampen op de vensterbank uit, zodat het volledig stil was in het vertrek. Hier en daar trok hij zelfs een paar stopcontacten uit om alle tintelingen, ruis en kleine geluiden uit te schakelen. Nu kon hij zich ten volle concentreren op de geluiden en de bewegingen op de overloop, het gekraak van het parket, het getik van de trapleuning.

Als versteend en nog altijd schaapachtig glimlachend, stond hij klaar om betrapt te worden. Vreemd genoeg voelde hij zich bijna opgaan in de leegheid van zijn eigen kantoor. Terwijl de stemmen dichterbij kwamen, dacht hij plots terug aan die muziekclip waarin een zakenman in kostuum langzaam zijn ene hand zag verwateren tot een doorzichtige massa. Bij het refrein van de song was ook zijn andere hand doorzichtig geworden en uiteindelijk 'verdween' het hele lichaam bij de slotakkoorden van de gitaar en ontsnapte de materie als gas uit de kraag van het kostuum. Hij was ter ziele gegaan, en gedurende één moment voelde Arthur Goetgebuur zich als een pop die leegliep. Gelukkig verdwenen de stemmen in het kantoor van de directie aan de overkant van de overloop.

Hij moest daar weg. Hij was ervan uitgegaan dat hij de zaak aankon, maar hij had zich vergist. Hij gunde zich nog één blik uit het hoge raam en keek naar beneden, naar het drukke verkeer op de boulevard. De parkeerplaatsen voor het kantoor waren nog niet ingenomen en dus besloot hij het zekere voor het onzekere te nemen.

Hij rende de wenteltrap af, vloog voorbij de receptie de boulevard op en was zo uitbundig dat hij letterlijk moest afremmen om niet onder het verkeer terecht te komen. Hij wandelde een stuk verder de boulevard af en stapte een koffiehuis binnen waarvan de stoelen en tafels buiten onder een zeil stonden opgesteld. Zonder zich ook maar één moment druk te maken over zijn verschijning, ging hij in de hoek aan een tafel zitten en floepte zijn mobieltje te voorschijn. Nerveus schakelde hij het toestel voor de eerste keer die dag aan. Het welkomstsignaal klonk fleurig en paste wonderwel bij de glimlach. Even ging hij de mogelijkheid na of er geen berichten waren ingesproken. Berichten die een verklaring voor dit euvel in petto hadden, waren natuurlijk te hoog gegrepen maar misschien kon een klein detail een teken zijn. Wanhopig ging hij het lijstje van zijn telefoonnummers af, in de hoop iemand te vinden waarmee hij hierover kon spreken. Maar hij vond niemand en bovendien was er dat wetenschappelijke feit dat mensen 'door de telefoon heen' konden glimlachen. Werden telefonische verkopers niet getraind om door te blijven glimlachen een gevoel van geborgenheid over te brengen op willekeurige slachtoffers? Wie hij ook zou bellen, het gesprek moest kort worden gehouden of hij zou door de mand vallen.

Vanuit zijn hoek zag hij de barman achter de tapkast staan. Misschien was het inbeelding, maar telkens Goetgebuur opkeek om te bestellen, hernam de ober een of andere pietluttige handeling, zoals het afwassen van een paar glazen of het openen van de kassa. Hij werd buitengesloten, nu al. Ach, zo zou het gaan. Zo moesten de verstotenen zich voelen, de zwarten, de holebi's, de gehandicapten, de armoezaaiers, de *losers*.

Met de blik op het kantoor schuin aan de overkant toetste Goetgebuur ten slotte het nummer in dat hij uit zijn hoofd kende. Hij besloot zich ziek te melden. Hoewel. Ziek was een overdreven term en als hij zich ziek meldde, had hij een doktersbriefje nodig. Goetgebuur zocht naar andere woorden die hem geloofwaardig zouden maken. Onwel, dat was hij niet. Pijn, die had hij niet. Krampen, ja, dat kwam zo ongeveer nog het dichtste bij de waarheid. Hallo, met Arthur Goetgebuur hier, ik heb een beetje te kampen met krampen en zal dus vandaag niet kunnen komen werken. Het was vaag, jazeker, maar het was alleszins niet gelogen.

Zijn afwezigheid zou niet al te storend zijn. Hij moest toegeven – en even was hij aards gelukkig – dat hij niet was zoals die collega die in de lunchpauze elke dag met een nieuwe mop kwam aandraven. Die man had, in tegenstelling tot Goetgebuur, een reputatie. Maar een reputatie had meer nadelen dan voordelen. Je werd ermee opgezadeld en je moest er steeds aan beantwoorden. Dat was hetzelfde als die collega van hem die ooit eens een mop vertelde die goed uitdraaide en waarmee iedereen moest lachen. ('*Wat is het verschil tussen een voetballer en een hoer? Een voetballer heeft een gescheurde spier en een hoer een gespierde scheur*!') Maar sindsdien vond die collega dat hij het koste wat het kost zijn reputatie hoog moest houden en had niemand nog een goede mop gehoord. Zo wilde Goetgebuur dus niet worden.

De gedachte aan een mop bleef echter langer in zijn hoofd rondspoken. Had hij de laatste tijd nog ergens een uitstekende mop gehoord die hem de slappe lach had bezorgd? Er bestond een sketch van Monty Python die *De Dodelijke Grap* heette. Iedereen die de grap in kwestie te horen kreeg, lachte zich dood. Maar neen, de laatste mop was die van die voetballer en de hoer en eerlijk is eerlijk: die was eigenlijk wat aan de platte kant.

Goetgebuur kreeg de secretaresse van de *managing director* aan de lijn, een van de stemmen die hij op de overloop had gehoord. Terwijl hij het woord 'ziek' uit zijn mond hoorde komen, begon hij toch te twijfelen of hij niet echt ziek was. Hij trachtte te weten te komen of de dame in kwestie onheil rook, maar blijkbaar had hij het er goed vanaf gebracht. Ze wenste hem zelfs een spoedig herstel.

Even kwam Goetgebuur tot rust. Maar dat was slechts een beslissing voor zich uitschuiven. Daar zat hij dan, in een anonieme grootstad, ver weg van huis. Uiteindelijk hakte hij de knoop door en besloot een huisarts te raadplegen. Hij nam zijn nutteloze en overbodige aanwezigheid in de stad als excuus om een onbekende dokter op te zoeken. De schaamte en het gemak vielen samen in de beslissing om het telefoonboek erbij te halen en alle huisartsen af te gaan. Uiteindelijk draaide hij het nummer van een zekere dokter Sturtewagen, en de onbekende stem gaf hem plots een beetje hoop. Dokter Sturtewagen deelde hem mee dat de consultatie van negen tot halftwaalf plaatsvond. Goetgebuur prees de afstandelijkheid in zijn stem. Al bij al kon hij zijn vaste arts niet lastig vallen met een dergelijk probleem vóór het deskundig was onderzocht. Hij was al een paar keren bij zijn huisarts binnengevallen omdat hij dacht dat hem iets ergs was overkomen. Aan de vermeende derde tepel op zijn borst die uiteindelijk slechts een grote zweer bleek en door de dokter vrij snel kapot werd geknepen, werd hij liever niet herinnerd.

De praktijk van de onbekende dokter Sturtewagen lag op het gelijkvloers van een gloednieuw gebouw met veel donkere ramen en glazen structuren. Het was tegelijk modern en achterhaald, progressief als ouderwets en toen Goetgebuur de glazen deuren voor zich liet openschuiven, voelde hij zich als een personage uit een film van Jacques Tati, die een wondere wereld van techniek en evolutie binnenstrompelt. Meteen kwam hij in een uitgestrekte poel, een linoleumvlakte die hem nog meer vervreemdde van de buitenwereld. Het was al erg genoeg dat hij in een vreemde stad een vreemde dokter moest raadplegen om zijn vel te redden, nu werd hij ook nog eens in een volkomen irreële architectuur gegooid. Het kon hem niet bekoren en toen hij werd doorverwezen naar de wachtkamer, zakte de moed hem in de schoenen. Gelukkig was hij helemaal alleen, ook al was het spreekuur al begonnen. In afwachting zocht Goetgebuur naar kleine dingen die zijn verwondering zouden prikkelen, maar hij vond niets. Vreemd dat hij alleen was, dacht hij. Misschien waren de mensen in de buitenwijken vaker geneigd naar de plattelandsdokter te hollen, uit een soort van heilige beschermzucht zoals men destijds opkeek naar de priester of de dorpsschrijver die met zijn wijsheid de beste remedie bracht. Of misschien was deze dokter gewoon te duur voor de doorsneemens. Gelakte stoeltjes en een onzichtbare stereoinstallatie die toch een zacht new-agedeuntje teweegbracht... het kon weleens dat laatste zijn. Goetgebuur werd terug tot de aarde geroepen en tastte in zijn achterzak naar zijn portefeuille. In zijn dagelijkse routine liet hij meestal alles thuis: zijn paspoort, zijn rijbewijs en zelfs zijn centen. Als een zombie zonder toekomst of verleden kwam hij naar de grootstad om te werken, niet om te leven. Meer nog, Goetgebuur had er een keer bij stilgestaan dat de foto op zijn paspoort onherkenbaar was geworden, maar dat hij tegelijk zijn bewijs van identiteit nog nooit daadwerkelijk had gebruikt. Het was er gewoon, net zoals hij er zelf ook gewoon was, zonder meer.

Hij telde zijn briefjes en hoopte vurig dat deze onverwachte consultatie niet al te duur zou zijn. Vijftig, honderd euro? Werden zulke dingen terugbetaald door het ziekenfonds? Was hij hiertegen verzekerd? De vragen kwamen vrolijk aanzetten. Hoeveel had hij er eigenlijk voor over om die glimlach, indien mogelijk, te laten verwijderen? Of was het zoals een rotte tand die men toch maar even liet zitten, tot de situatie financieel haalbaar was? Goetgebuur stak zijn centen weer weg en dacht even na over de belofte om het bedrag later te storten. De kans was heel klein dat hij hier een tweede keer zou terugkomen, dus kon hij het wel riskeren. Opeens werd hij overmand door een ongelooflijk groot gevoel van heimwee. Goetgebuur keek om zich heen en herkende niets. Hij miste zijn vertrouwde omgeving, als een autistisch kind dat van de ene dag op de andere met ander speelgoed moet spelen.

In de praktijkruimte hoorde hij stemmen, onduidelijk alsof ze het klankbord vormden bij de ondoorzichtige, glazen tussenwand. Wazige indrukken verlamden Goetgebuur meestal. Maar hij bleef alert en ging op zoek naar de bron van de new-agemuziek. Hij bukte zich om te zien of er geen draden of stopcontacten onder zijn stoel liepen. Hij stond op om de hoeken van het plafond te inspecteren en piepte zelfs achter de gordijnen. Maar nergens, zelfs niet in de centrale verwarming en onder de kussens op de stoelen, was een spoor te vinden van een geluidsbron. De muziek leek letterlijk vanuit het Grote Niets in de lucht te hangen. Goetgebuur ging verslagen zitten, maar had het dankzij dit kleine intermezzo meer naar zijn zin.

Ondertussen viel zijn blik op een paar slogans aan de muur die de patiënten aanmaanden om minder te gaan roken, minder vet te eten en meer voorbehoedsmiddelen te gebruiken. Een gedachte flitste door zijn hoofd: zou hij, indien de glimlach niet wilde wijken, nog in staat zijn dergelijke slogans te bedenken en zijn beroep naar behoren uit te voeren? Indien er geen onmiddellijke remedie werd gevonden, zou deze situatie zijn leven grondig veranderen.

Na enkele minuten stak dokter Sturtewagen zijn hoofd naar binnen en knikte zijn nieuwe patiënt vriendelijk toe. De dokter was een rijzige, voorname man met een intellectuele baard vol zwarte en donkergrijze plekken. Hij droeg zijn kiel als een overjas en liet hem nonchalant met een geinig geluidje rondzwieren. Hij wees Goetgebuur de stoel waar hij zijn kleren over kon hangen en ging achter zijn bureau zitten om een fiche op te maken. Goetgebuur was onder de indruk van de directheid en de no-nonsensestijl van de grootstad waar geen tijd mocht worden verloren. Zo had hij ze het liefst, die verplichte bezoekjes, en met een bijna frisse schwung begon hij gretig zijn hemd en stropdas los te knopen. Tijdens het invullen van de fiche keek de dokter een paar keren op en vroeg Goetgebuur om enige toelichting. Wat was de reden voor zijn bezoek en waarom had hij besloten een andere arts te raadplegen? Ging het om een tweede of derde opinie? Of veeleer een netelige kwestie zoals een AIDS-onderzoek, dat de nodige discretie vereiste?

Goetgebuur zat ondertussen met ontbloot bovenlichaam nog steeds te glimlachen, schijnbaar geamuseerd luisterend naar de zweverige new-agemuziek. Pas toen de dokter hem doordringend aankeek, viel het hem in dat hij eigenlijk voor niets in zijn blootje zat. Om deze plotse onprettige en ongemakkelijke situatie de baas te kunnen, dicteerde hij de dokter zijn medisch cv:

'Arthur Goetgebuur, geboren in januari 1973, ingeënt tegen de pokken, hersenvliesontsteking en difterie. Weinig of geen ingrijpend medisch verleden, behalve dan een onschuldige operatie aan de achillespees toen hij nog jong en sportief was.'

De vraag wat er werkelijk aan de hand was, bleek een stuk moeilijker te beantwoorden. Klaarblijkelijk had de dokter het symptoom van de lach nog niet opgemerkt. Of hij wilde er geen acht op slaan, in de hoop misschien niet al te onwetend over te komen? Al bij al moest elke dokter zich tegenover een nieuwe patiënt bewijzen, zowel in zijn medische kennis als in zijn menselijkheid en sociale omgang.

Uiteindelijk stond dokter Sturtewagen op en haalde een stethoscoop uit zijn kiel te voorschijn. Net voor hij in actie zou schieten, voelde Goetgebuur zich verplicht de nodige toelichting te geven. Wat volgde was een enorme ontlading; het geheim dat hij al de hele ochtend met zich had meegedragen werd op de wereld losgelaten. Goetgebuur voelde zijn spieren verslappen en zijn bloeddruk dalen, en eventjes was er de hoop dat daarmee ook de glimlach was verdwenen. Maar niets was minder waar. Goetgebuur probeerde zich in de plaats te stellen van de dokter die met een nieuwe patiënt ook een volstrekt nieuwe, onbekende ziekte binnenhaalde. Hij probeerde zich de uitdaging voor te stellen, het genot van het onderzoek en de uiteindelijke vaststelling van een uniek probleem. Maar dokter Sturtewagen leek veeleer het soort dokter dat verveeld zat met de situatie. Na de uitleg die Goetgebuur hem had verschaft, nam hij op zijn beurt glimlachend het hoofd schuddend, weer plaats achter zijn bureau. Op de vraag of dit een flauwe grap was of een verborgen camera, kon Goetgebuur enkel slikken en zo bedroefd mogelijk het hoofd schudden, hoewel dat een hele opgave was.

Wat volgde was een routineonderzoek waarbij dokter Sturtewagen af en toe opkeek en vragen stelde. Of Goetgebuur tintelingen voelde in de toppen van zijn vingers. Of hij de laatste tijd was blootgesteld aan stress, op het werk, thuis. Stress, herhaalde Goetgebuur, alsof het woord daar ter plekke, samen met deze nieuwe lachspierziekte, werd uitgevonden. Neen, daar kon hij de laatste tijd niet echt van meespreken. Dokter Sturtewagen haalde een kleine injectiespuit uit zijn lade, wrong die uit het plastic zakje, doopte de naald in wat alcohol en prikte die, na de plaats met een watje ontsmet te hebben, zachtjes in de bovenste lip. 'Dit gaat even prikken, maar het is zo gebeurd', verzekerde dokter Sturtewagen, en om de aandacht wat af te leiden vertelde hij wat er exact in de spuit zat. Een moeilijk te onthouden naam die Goetgebuur deed denken aan een pas ontdekte apensoort in Nieuw-Guinea. Het leek een beetje op de stof die tandartsen gebruiken om een kaak rond een kies te verdoven.

Dokter Sturtewagen vroeg eveneens of Goetgebuur zijn inenting tegen tetanus misschien niet over het hoofd had gezien. Tetanus, dacht Goetgebuur gelaten, wat heeft tetanus in godsnaam te maken met dit syndroom? Maar dokter Sturtewagen beantwoordde zelf zijn eigen vraag. Tetanus was een infectieziekte die wordt veroorzaakt door de bacterie *clostridium tetani*. De bacterie zelf is onschadelijk, zo verzekerde Sturtewagen, maar vormt schadelijke toxines ('giftige stoffen', zei Sturtewagen langs zijn neus weg alsof hij zich schaamde over de dure studie die hem deze kennis had opgeleverd). Deze toxines leiden tot verkrampingen die kenmerkend zijn voor de ziekte tetanus. Daarvan is de bekendste wel de verkramping van de gezichtsspieren, leidend tot de *risus sardonicus* of de *sardonische lach*, een grimmige lachkramp.

Maar neen, Arthur Goetgebuur moest zijn interimhuisarts teleurstellen. Een hypochonder als hij was er natuurlijk als de kippen bij geweest om een jaar eerder nog een tetanusspuit te krijgen.

Ongewild ging Goetgebuur op in het gesprek met zijn nieuwe dokter. Deze ervaring werkte zeker heel therapeutisch, in die zin dat Goetgebuur zich geneigd voelde om naast zijn medische verleden ook meteen zijn hele hart uit te storten. Door te spreken over zijn eerste inenting tegen hepatitis en over de vreemde afwezigheid van de mazelen, had hij het onrechtstreeks ook over zijn kindertijd. En het deed deugd om bepaalde kleine herinneringen te linken aan zijn medische rapport. Zo sprak hij over zijn operatie aan de amandelen, maar had hij het in feite, tussen de regels, over die magische winter toen hij zijn eerste slee had gekregen. Toen de dokter hem vroeg naar eventuele allergieën, weidde Goetgebuur uit over zijn enige broer die wel hooikoorts had, maar die hij in geen jaren meer had gezien. De relatie met zijn broer was het enige waarover Goetgebuur in zijn leven nog op een authentieke wijze kon praten. Het was het enige wat hij nog kon vatten, beleven en hoe verder hij zijn eigen broer van zich zag afdrijven, hoe pijnlijker en dus authentieker het allemaal werd. Goetgebuurs broer was advocaat en had een hele reeks tegenslagen in zijn jeugd moeten verwerken, waaronder bedwateren. Het had hem sterker en nobeler gemaakt, maar het had Goetgebuur ook minderwaardig gemaakt en met een gigantisch schuldgevoel opgezadeld. Soms kon Goetgebuur zomaar aan zijn broer zitten denken en opeens in huilen uitbarsten, niet wetend waarom. Het enige wat hij wist, was dat hij soms hardop wenste dat zijn broer weer zou beginnen bedwateren, niet uit jaloersheid maar omdat hij dan zijn rol als oudere broer kon opnemen. Nu had Goetgebuur met niemand medelijden en dat gevoel miste hij grondig. En zijn broer had te weinig inlevingsvermogen om zelf medelijden met hem te krijgen.

Op die manier rakelde Goetgebuur allerlei vervlogen beelden en herinneringen op die al jaren onder het stof hadden gelegen. Hoe meer hij begon te praten, hoe meer de dokter knikte en uiteindelijk voelde Goetgebuur zich zo op zijn gemak bij deze complete vreemdeling dat hij via hersentromboses, de rode draad doorheen de familie, uitkwam bij het onbegrip van zijn familie tegenover zijn eigen tekort aan ambitie in het leven.

De dokter bleef knikken en maakte aantekeningen. Voor het eerst in zijn leven wist Goetgebuur waarover hij het had en hij bleef maar doorgaan. Het onbegrip van zijn familie was niet zozeer onbegrip, veeleer een onvermogen om zich in te leven in een jongeman van net over de dertig, die al zo vroeg met zoveel dood, ziekte en verderf was geconfronteerd dat hij er op zijn zachtst gezegd een wat vreemde levensvisie op nahield.

Na zijn betoog leunde Goetgebuur glimlachend achterover en wilde de dokter bijna bedanken voor zijn luisterend oor, als was het een professionele psychiater. De top van zijn rechtervoet raakte even de teen van zijn gesprekspartner aan, als symbool van hun tegemoetkoming.

Toen stond dokter Sturtewagen op en zei gedecideerd dat de spuit was uitgewerkt.

Ook Goetgebuur stond op, alsof door deze outing van ziekelijke nostalgie de glimlach niet meer dan een nevenverschijnsel was. Maar Sturtewagens blik voorspelde weinig goeds en met een weldoordachte precisie werd het plots ook wat donkerder in het kabinet en was de terugblik op het jonge leven van Arthur Goetgebuur niet meer aan de orde.

Goetgebuur voelde zijn kaken niet meer en ook zijn mond was *weg*, maar aan de uitdrukking op Sturtewagens gezicht te zien, was de glimlach *status quo* gebleven. Dokter Sturtewagen leek teleurgesteld. Had hij werkelijk gedacht dat het geval zich zo makkelijk zou laten oplossen? Had hij werkelijk gedacht dat door een naald in de huid te steken de lach als een kaartenhuis in elkaar zou storten en Goetgebuur deze middag nog zonder zorgen naar zijn kantoor kon gaan?

Dat betwijfelde Goetgebuur ten zeerste. Hij wist wel beter. Bij hem gingen problemen nooit zomaar vanzelf over. Er leek een diepe, existentiële dwarsheid van het bestaan mee gemoeid dat ervoor zorgde dat pietluttige problemen of ongemakken soms zo hardnekkig bleven duren dat ze Goetgebuur zelfs aan zelfmoord lieten denken: de systematische weigering van een simpele tube tandpasta om 's ochtends mee te werken, het wegwaaien van een stuk ondergoed van het droogrek in de tuin, een ballpoint die uitliep...

Na het onderzoek moest dokter Sturtewagen toegeven dat hij Goetgebuur niet zomaar wandelen kon sturen. Dit was een interessante zaak. Hij nam het woord 'ernstig' niet in de mond, maar Goetgebuur had toch de indruk dat Sturtewagen er echt mee bezig was en dat was al een teken op zich. Hij ging weer achter zijn bureau zitten en vroeg Goetgebuur wie zijn vaste arts was omdat die het zogenaamde Globaal Medisch Dossier in zijn bezit had. Weer voelde Goetgebuur de drang opkomen om te liegen, maar waarom in hemelsnaam? Koesterde hij nog altijd de illusie dat de glimlach vanzelf zou verdwijnen en hij zijn oude leventje zonder blikken of blozen weer kon opnemen?

Uiteindelijk koos hij voor de gulden middenweg en gaf hij op dat hij de laatste twee jaar geen dokter meer had geraadpleegd. Hij had het adres van zijn laatste arts wel nog ergens thuis liggen, maar dat kende hij niet uit het hoofd. Toen liepen ze vast. Dokter Sturtewagen wilde wel een paar voorschriften schrijven, hoewel hij erbij vertelde dat Goetgebuur de medicijnen op eigen risico nam. Hij was niet verantwoordelijk voor ongewenste neveneffecten, en twijfelde aangezien het Globaal Medisch Dossier nog niet was ingekeken. Aan het einde van zijn consultatie rekende dokter Sturtewagen niets aan omdat dit geval volledig ten dienste stond van de wetenschap.

Goetgebuur kleedde zich aan en verliet met de grijns de consultatiekamer, weinig of niets wijzer, alsof geluk gepaard ging met onwetendheid.

Onderweg naar een plek waar hij alleen kon zijn, begon Goetgebuur zich diepere vragen te stellen. Wat was de oorzaak van dit euvel? Een volgend stadium diende zich aan. Na de eerste schok volgde de nieuwsgierigheid. Waar kwam dit vandaan? De Spaanse griep verscheen ergens uit een diep onvindbaar oerwoud. Maar deze lach... Was hijzelf de oorzaak? Het was de moeite waard om het te onderzoeken.

Niet dat hij zoiets eerder had meegemaakt, of ook maar iets dat in de buurt kwam. Maar Goetgebuur had wel zijn hele leven sympathie gekoesterd voor de antihelden uit de romans van Kafka en Beckett. Het was bijna alsof er al die tijd al een bepaald voorgevoel in hem huisde. Een soort van voorbestemming, zoals grote kunstenaars weten dat ze hun stempel op de geschiedenis zullen drukken of wetenschappers die geboren worden om dé ontdekking van de eeuw te doen. Zijn hele leven lang was Goetgebuur een 'literair' iemand. Dat betekende niet noodzakelijk dat hij veel boeken las of bezat; het was gewoon een term die bij hem paste. Het zat hem bijvoorbeeld in de zachte welving van zijn haar bij de slapen, geen echte krullen, maar wel heel 'literair'. Hetzelfde gold voor de keuze van zijn colberts, zijn schoenen en zijn stem. Zelfs zijn houding was 'literair', tenminste zo hield Goetgebuur zich voor, zonder dat hij ook maar één boek had geschreven. Het leek dan ook maar normaal dat hij het onderwerp zou zijn van een 'literair' fenomeen of 'literaire ziekte'.

Hij keek op zijn horloge en kwam tot de ontdekking dat hij net zijn trein had gemist. Terwijl hij voorbij het kantoor van het reclamebureau passeerde, voelde hij zich een spijbelaar en wilde zelfs blijven staan tot iemand zou komen buitenhollen om de reden tot het verzuim te inspecteren en goed te keuren. In plaats daarvan liep hij door, vastbesloten om nog even op de dool te blijven. Hij glipte een donkere bioscoop tussen een wassalon en een apotheek binnen. Als een vampier die het daglicht niet mocht zien, verschool hij zich in de duisternis. Hij verzeilde in een muffe gang, met vast tapijt en met aan de muur een paar obscure affiches van grote goochelaars en illusionisten. Een paradijs vol valse bodems en grote voorspellingen. Hij koos een willekeurige deur en liep meteen door naar de achterste rij waar hij zich schuilhield tot de begingeneriek van de film in kwestie afgelopen was. Toen ontspande hij zich, in de wetenschap dat hij voor een uurtje of twee veilig was, ver weg van een maatschappij die niets wist aan te vangen met zijn glimlach. In het straffe schijnsel van de projectie werd zijn glimlach nu voor het eerst uitvergroot en onverbloemd getoond. Misschien dat dit groteske gezicht hier in een wereld van fantasie en waanzin meer op zijn plaats was. Goetgebuur probeerde zich te concentreren op de film, maar het scheelde niet veel of een van de weinige bezoekers had zich omgedraaid naar de projectiekamer om te protesteren tegen het onscherpe beeld. Naarmate de film op gang kwam, liet Goetgebuur de elementaire stofdeeltjes in de lucht voor wat ze waren en genoot, voor zover dat mogelijk was, van de fratsen van Abbott & Costello. De magische opeenvolging van beeldframes zette een eigen mechanisme in gang in zijn eigen brein.

Geleidelijk aan namen zijn jeugdherinneringen het over van de film en terwijl Goetgebuur daar met de ogen zat te knipperen, zag hij zichzelf weer als achtjarige jongen met zijn eerste fiets vallen op de binnenplaats. Zijn hele gezicht zat onder de schrammen en het bloed. In een volgende scène lag hij languit in de sofa van het grote herenhuis van zijn vader, terwijl zijn moeder de builen op zijn voorhoofd en slapen probeerde te onderdrukken met een nat washandje. Opmerkelijk was hoe vaker hij zich dit voorval herinnerde, hoe meer bulten eraan te pas kwamen. Een vreemde evolutie, waar hij voorlopig nog geen verklaring voor had gevonden. Hij had ongetwijfeld meer pijnlijke momenten in zijn leven meegemaakt, maar Goetgebuurs brein was een vreemd instrument. Het linkte de meest vrijblijvende momenten aan elkaar. Wanneer hij bijvoorbeeld terugdacht aan de valpartij met zijn fiets, dacht hij ook meteen terug aan die keer dat hij op het strand te lang in de zon had gezeten en zijn voorhoofd door de hitte letterlijk was gaan opzwellen totdat zijn oogkassen over zijn oogleden hingen. Ook toen was hij een monster geworden.

Terzelfdertijd begon hij de zaak te relativeren. Hij was niet veranderd in een reusachtig insect zoals Kafka's hoofdfiguur of in een reusachtige borst zoals bij Roth. Evenmin was hij zijn neus kwijtgeraakt zoals bij Gogol. Neen, zijn gebrek was in zekere zin minder ernstig, minder verhalend, meer wetenschappelijk.

Hij had te kampen met een lachkramp en terwijl hij dit bedacht, voelde hij een hele last van zijn schouders vallen. Hij was opgelucht en wilde glimlachen. Groot was zijn verbazing toen hij niets voelde. Hij wilde lachen maar die lach was er al, dus was er niet veel reden meer om te lachen en dacht hij maar op te houden met lachen, terwijl de lach op post bleef. Of zoiets.

De rest van de dag nam Goetgebuur vrij. Hij kon het niet aan om in de grootstad te gaan shoppen, hoewel hij even in de verleiding kwam om al zijn dromen en wensen te vervullen, met het oog op een onvermijdelijk abrupt einde van zijn leven. Wie weet was deze glimlach de voorbode van de waanzin en zouden dit zijn laatste ogenblikken zijn waarbij hij bij zijn volle verstand was. In dat opzicht was het niet onredelijk om die biljarttafel te kopen die hij altijd al gewild had, of die oude *Triumph* waar Aline zich altijd zo tegen verzet had. Maar hij deed het toch maar niet, want toegeven was eigenlijk een beetje opgeven, sterven op voorhand, en daarvoor was het nog te vroeg.

Daarom nam hij de trein terug naar huis en alsof dat een teken of een zegen was, begon het op dat moment te sneeuwen. Goetgebuur voelde de vlokken op zijn lippen neerdalen, als een streling van een stel engelen dat hem van nabij volgde. Zijn hele wezen werd opeens een stuk romantischer en in de versleten coupé voelde hij zich opgesloten in een kleine glazen sneeuwbol die van tijd tot tijd ondersteboven werd gekeerd, met als achtergrond een soort Russisch aandoend winterlandschap dat overeenkwam met zijn gemoedsstemming. Hij probeerde te slapen maar de waakzaamheid hield hem wakker. Met zijn blik op een scheur in de lederen bank voor hem en de ouderwetse matte leuningen kwamen plots een zekere tevredenheid en berusting opzetten. Niets kon hem nog deren. Hij had zich kenbaar gemaakt en genoot nu met volle teugen van zijn vrijheid om geen beleefdheid, schaamte of gevoelens meer te hebben. Hij was een ding geworden, zoveel minder en toch zoveel meer dan een mens. Hij moest niet meer presteren, maar werd enkel bekeken en kon zelf niets veranderen aan zijn gebreken. Net zoals de scheur in de stoel op een dag het wezen van de stoel had veranderd, zo werd Arthur Goetgebuur door de glimlach puur en nietszeggend. Berustend sloot hij de ogen en genoot zichtbaar van de spanning die van hem afviel. Hoewel de sneeuw bleef liggen en het nog altijd vroor, wandelde Goetgebuur te voet van het plaatselijke station naar zijn eigen straat. Bijna hield hij de armen tot de hemel gericht en wilde de aandacht tot zich trekken. Maar het was ofwel te koud ofwel te druk, want in het dorp sloeg niemand acht op hem. De boer die met zijn kar naar de weide reed om er zijn vier koeien een onderdak te geven, knikte van een straat verder en spuwde zoals gewoonlijk een rochel op de stoep. Hij kwam mensen tegen die hem voorbijliepen alsof hij geen glimlach op zijn gezicht had, of, wat erger was, die de glimlach negeerden.

In de beschermde buitenwijk beperkte hij zich tot de dingen die een mens het best alleen doet. Hij ruimde met een nederig en aards gevoel en met een bezem de sneeuw van zijn oprit en zijn voetpad. Even verleid door de gemoedstoestand van zijn mond, kon hij het niet laten om ook een kleine sneeuwman in elkaar te steken. Maar hij voelde die sneeuwman veeleer als een verplichting. Een logisch proces van oorzaak en gevolg. Hij glimlachte, dus moest hij iets doen om aan die glimlach te beantwoorden. Opzettelijk liet hij de sneeuwman zelf niet glimlachen. Hij stopte vijf olijven allemaal op één lijn zodat de sneeuwman zeker niet in een opperste bui leek. Met een dromerige en afwezige blik liet hij zijn wollen handschoenvingers over de vijf olijven gaan. Hij kreeg heimwee naar een neutrale mond.

Verder hield hij zich in stilte en in alle anonimiteit bezig tot zijn vrouw Aline thuiskwam.

Goetgebuur zocht zijn toevlucht in de meest alledaagse bezigheden alsof het leven zijn gewone gang ging. Hij ontweek zijn eigen spiegelbeeld in ramen, autospiegels, ijsplekjes en trachtte zo weinig mogelijk te denken aan het ding op zijn gezicht. Tegen het einde van de namiddag had hij zowat alles gedaan wat een mens maar doen kan wanneer hij met een vervelende glimlach zit opgescheept. Hij had zijn tuinhuis opgeruimd, de houten tuinmeubels opgestapeld, een appelcake gebakken, de boeken in zijn boekenkast alfabetisch gerangschikt en dat was nog maar een kleine greep uit het grote aanbod.

Tegen de vooravond zat Goetgebuur languit in de fauteuil te wachten tot zijn vrouw de sleutel in het slot stak, toen hij opeens in paniek schoot. Waar waren zijn gedachten? Wilde hij haar een hartaanval bezorgen? Wilde hij haar de ernst van de situatie besparen en het luchtig houden?

Twee tellen later stond hij in de badkamer en inspecteerde de schade. Schade kan op zich nooit toenemen. Wanneer je een auto in de prak rijdt, zit je met permanente schade. Drie deuken, een voorbumper, je zet het op papier en het blijft daarbij. Maar niet wanneer je Arthur Goetgebuur heet. Dan breidt die schade zich verder uit. Twee dagen erna komen er nog deuken in het koetswerk, als op hol geslagen natuurelementen die door hitte of koude een eigen leven gaan leiden.

Zo constateerde Goetgebuur, nu ongeveer tien uur na de eerste opmeting van de schade, dat de glimlach aan het uitbreiden was. De term 'grijns' was niet meer van toepassing. Tot zijn ontzetting bemerkte hij dat de opwaartse lijnen van zijn lippen zich hadden uitgezet tot onder de ogen. Met andere woorden, de glimlach nam niet langer genoegen met de lippen, hij moest nu ook nog de ogen hebben. Goetgebuur was niet het type van kraaloogjes, maar daar zat hij nu wel mooi mee. Met een half oog angstvallig op de klok gericht, maakte hij een schatting in hoeverre de opwaartse hoek van de bovenlip was vergroot. Aanzienlijk.

Het begon naar een vervorming te neigen. Het was niet gewoon meer een uitvergroting of een beklemtoning van een lach. Het was een vervorming zoals je soms ook digitale foto's of prints kunt vervormen. Gelukkig was Aline geen preutse vrouw die makkelijk te choqueren viel. Ze reageerde doorgaans heel beredeneerd en kalm, zoals die keer toen Goetgebuur haar apart nam om het over zijn 'grijze' in plaats van zijn 'witte' was te hebben.

In zekere zin trad Aline bij conflicten (en dat dit een conflict was, kon nu nog amper worden ontkend) op als een soort moeder. Vanuit haar baan als hoofdverpleegster in een katholiek ziekenhuis had ze de gave om alle problemen in een mum van tijd duidelijk aan de kaak te stellen. Ze was heel nuchter in haar analyses en liep nooit te hard van stapel. Bovendien had ze vanuit haar professionele relaties binnen het ziekenhuis een rotsvast geloof in de geneeskunde. Volgens Goetgebuurs vrouw was er niets dat de geneeskunde niet kon oplossen. Wel, hij had een uitdaging voor haar.

Aline had een soort heilige bewondering voor professoren, dokters en specialisten. Dat was ook de voornaamste reden waarom ze haar baan als hoofdverpleegster van het ziekenhuis bleef uitoefenen. Nog meer dan de verschillende werkschema's van haar onderdanen die ze moest coördineren, de organisatie van vergaderingen en het inspringen bij spoedoperaties van bekende wielrenners die tegen de grond waren gesmakt, was het deze permanente kameraadschappelijke band met de dokters die de baan zo interessant maakte. Goetgebuur stelde zich in zulke situaties dan altijd opzettelijk dwars op en trok alles in twijfel. Hij voelde er weinig voor om met een blind vertrouwen zijn leven in handen te geven van iemand die vijftig euro per uur aanrekende. Hij stond altijd klaar om een potje te discussiëren over de zin en de toekomst van de wetenschap. Hij was een volkomen leek op wetenschappelijk vlak, maar juist vanuit die geprivilegieerde opstelling had hij een klare, objectieve kijk op de feiten, zo meende hij.

Goetgebuur was nog steeds verbaasd, ontzet, ontstemd. Maar de gedachte dat hij met die belachelijke glimlach op zijn gelaat Aline even met de rug tegen de muur kon zetten, compenseerde evenwel een beetje. Het maakte natuurlijk niet alles goed, maar het zorgde in vreemde zin wel voor een welkome afwisseling.

Het geluid waarmee Aline de wagen op de oprit parkeerde, was op zijn zachtst gezegd onheilspellend. Er leken duistere krachten mee gemoeid, zo gruwelijk knarsetandde de grind onder de banden. Terwijl Aline de drie zakken met boodschappen begon te legen, nam ze op haar eigen manier kennis van zaken. Het viel haar natuurlijk onmiddellijk op, want de glimlach bleek met het vallen van de avond een nachtuil te zijn die zich alsmaar beter in zijn vel begon te voelen. Terwijl Aline dus de pakken kabeljauw en zalm in het diepvriesvak stopte en tomaten en augurken in het onderste schavot van de koelkast wrong, keek ze haar echtgenoot af en toe aan en glimlachte terug. Het was nog niet zover tot haar doorgedrongen dat ze de stapel boodschappen neergooide om hem troostend te omhelzen. Ze was nog in het stadium dat boodschappen belangrijker waren. Tussen het uitladen van de blikken rode kool en het effectief klaarmaken van de avondmaaltijd werd dan toch uiteindelijk een pauze ingelast. Goetgebuur en zijn vrouw trokken zich terug in de woonkamer waar een gezellig gedempte, sfeervolle belichting de zaken minder frappant maakte. 'Je moet het overdag gezien hebben', verzekerde Goetgebuur haar.

Aline Goetgebuur ging in de aparte fauteuil zitten met zedig parallelle benen tegen elkaar en bestudeerde haar man. Terwijl zij af en toe knikte, gaf Goetgebuur ondertussen een gedetailleerd relaas, volledig chronologisch, van uur tot uur, van minuut tot minuut. Een rapport van een crisis, op de toon van een generaal die ten aanzien van zijn president de paniek onder het volk onder controle wil houden.

Ze vatte het vrij goed op, zo bleek uit haar spontane gehinnik en haar zedige hand voor de mond. Daarna ratelde ze dezelfde problematiek als dokter Sturtewagen af. Ze stelde dezelfde vragen, maar dan zichtbaar meer geamuseerd alsof ze blij was dat ze die avond de televisie niet hoefde aan te zetten om van wat spektakel te genieten.

Daarna kwam de fase dat het avondeten uit het oog werd verloren. Aline wilde de glimlach van dichtbij zien. Ze ging op haar knieën voor Goetgebuur zitten en begon het spul aan te raken, te kneden, te masseren. Tot zijn verbazing vond zijn vrouw de glimlach schattig, aantrekkelijk en zelfs, ja, heel sexy. 'Het heeft wel iets', fluisterde ze in zijn oor, 'Ik word er een beetje wild van, moet ik zeggen.' Geleidelijk aan begon Aline op zijn oorlelletje te kauwen. Ze begon zijn lippen en mond te liefkozen, omhelsde hem en dook uiteindelijk met Goetgebuur én de glimlach achter de fauteuil om op de grond hartstochtelijk de liefde te bedrijven.

Goetgebuur verkeerde inmiddels in een tweestrijd. Aline was van nature weinig intuïtief en impulsief, en dit was dus een ommekeer van honderd tachtig graden. De voorbije jaren had ze een gereserveerdheid aan de dag weten te leggen waaraan hij uiteindelijk gewend was geraakt.

En nu dit. Daar zat hij dan, klaar om een wetenschappelijke primeur de wereld in te sturen en daar ondermijnde zij het probleem met haar gemeende hartstocht en liefde. De speelse lichtheid waarmee ze de zaak benaderde stond Goetgebuur even tegen, maar na verloop van tijd liet hij zich gaan. En ja, zo ging het toch altijd. Telkens wanneer je de dingen het minste verwacht, staan ze voor je neus, onverwacht – te nemen of te laten – wat de situatie ook was. Een geluk komt bij een ongeluk. Er waren zo nog een paar clichés die Goetgebuur kon opdreunen. Maar ondertussen had hij het te druk met zijn vrouw die volkomen wild werd van zijn glimlach. Het raadselachtige, het onbekende, het mysterieuze had het vuur in haar ziel aangewakkerd en dat vuur viel met de beste wil niet meer te blussen.

Tijdens het avondeten kwam Goetgebuur vrij snel tot de conclusie dat de minuten nog langzamer voorbijkruipen als je echt met iets verveeld zit. De honger van Goetgebuurs vrouw was nu volledig gestild en had plaatsgemaakt voor de volwassen, ingehouden neutrale houding die men hanteert tijdens familiebezoeken. Goetgebuur zag haar tijdens het diner (konijn met kroketten) voortdurend evolueren. In het begin probeerde ze er nog de stemming in te houden door over haar werk te praten, maar ze werd snel afgeleid. Daarna werden beleefde stiltes respectievelijk afgewisseld met een onrustig, gedistingeerd heen en weer schuiven van de stoel en het uiteindelijke onvermijdelijke hardop zuchten. Het was die eeuwenoude metafysische wet die hem weer parten speelde. Een glimlach werkte maar voor een bepaalde tijd. Net zoals ook een aspirine of een film maar enkele uren werkte. Daarna werkte het gewoon niet meer.

Goetgebuurs vrouw was een stuk vroeger klaar met de maaltijd (Arthur ondervond enige hinder bij het naar binnen spelen van het konijn doordat de glimlach het kauwen niet meteen makkelijker maakte) en stond op om nerveus een paar schemerlampen aan te steken en de rolluiken naar beneden te laten. De vaste routine van de *suburbia* mocht in geen geval over het hoofd worden gezien. Daarna ging ze uit protest in de fauteuil zitten en zette het nieuws aan. Haar houding was tot dan toe nog niet echt vijandig te noemen, maar er maakte zich wel al een zekere vorm van ongerustheid over haar meester, alsof ze besefte dat ze zopas de liefde had bedreven met een man die aan een besmettelijke ziekte leed.

Het nieuws drong in zijn vertrouwde vorm fluisterend de brave, naïeve verkaveling binnen. Aanslagen, politieke rellen, vergeldingsacties voor de politieke rellen, vergeldingsacties voor de vergeldingsacties voor de politieke rellen. De sleur van de wereld botste dit keer tegen een muur van een glimlach aan. Af en toe draaide Aline Goetgebuur zich om naar haar echtgenoot om hem op de bittere, depressieve feiten van de dag te wijzen.

'Alweer een aanslag met meer dan tien doden. De helft waren nog kinderen.'

Verslagen en meer en meer waanzinnig grijnzend begon Goetgebuur uit pure ellende de tafel af te ruimen.

Die avond werd er nog weinig gezegd. Goetgebuurs vrouw ging vroeg slapen, gaf hem nog een kus op zijn voorhoofd en liet hem aan zijn lot over. Het was niet de eerste keer dat ze woordloos uit elkaar gingen. De laatste tijd gebeurde het steeds vaker, hoewel de momenten waarop ze de ruzies altijd bijlegden hen des te meer geluk en opluchting brachten. Het leek alsof hun relatie steeds extremer werd: positieve en negatieve pieken wisselden elkaar op de grafiek steeds sneller af. Goetgebuur zag er een vooruitgang in. Hij meende dat zo'n stuurloos, oncontroleerbaar varen voor een relatie beter was dan een voortkabbelend, saai leven. Ook Aline leek zich na verloop van tijd te hebben aangepast aan de prikkelende onbestendigheid van hun relatie. De ene dag weigerde ze een woord tot hem te richten omdat hij werkelijk te slordig was en alles in het huishouden aan haar overliet. De andere dag zat ze op zijn schoot en smeekte hem om een kind. De vraag om een kind was een koppigaard. Die bleef maar terugkomen. Het is een vraag die eenmaal gesteld en beantwoord steeds frequenter wordt gesteld en beantwoord, tot ze eindelijk vervuld wordt.

Maar nu hadden ze eigenlijk niet eens ruzie, dacht Goetgebuur. Er was eigenlijk volstrekt niets om hem van te beschuldigen.

Blijkbaar was zijn vrouw op een leeftijd gekomen waarop verrassingen haar maar ten dele en voor een beperkte duur meer konden amuseren. Daar zat Goetgebuur zo aan te denken, overwonnen door een glimlach, languit in de fauteuil onderuitgezakt, opgesloten in een moderne bunker met rolluiken die toevallige wandelaars moesten behoeden voor een vreselijke aanblik.

Terwijl hij de trap opklom, schoten hem plots een paar cruciale herinneringen door het hoofd. Jawel, Arthur Goetgebuur had al eens eerder een lachkramp gehad! Zij het iets subtieler. Het was zelfs een soort vast ritueel toen zijn leven nog niet zo braaf, mooi en geweldig was. Wanneer hij de belangrijkste feiten in zijn leven even op een rijtje zette (en hij bleef midden op de trap staan), besefte hij dat hij op die momenten altijd een soort vreemde, ongecontroleerde zenuwtrek rond zijn mond had gekregen. Een trek die hem aan het lachen wilde brengen, terwijl hij verondersteld werd te huilen.

De dood van zijn eerste hond Franz toen hij amper acht was. Het afscheid van de lagere, beschermde school toen hij twaalf was. Zijn eerste vechtpartij op het strand toen hij dertien was. De eerste keer dat hij werd gedumpt toen hij veertien was. De dood en de begrafenis van zijn vader toen hij vijftien was. De opname en de zelfdoding van zijn mentaal zieke zusje toen hij achttien was. Zijn eerste ongeval met de wagen toen hij negentien was. De eerste tweede zit toen hij twintig was. De dementie van zijn grootmoeder, het pesten door zijn eerste collega's, de drankzucht van zijn bijna eerste vrouw, en ga zo maar door. Het leek een ongeschreven wet dat Arthur Goetgebuur bij elke persoonlijke tegenslag vreemd reageerde. De trillende zenuwtrek rond zijn lippen protesteerde bijna tegen al het onheil dat hem te beurt viel. Maar het probleem was dat deze lachkramp wel degelijk een kramp was en dat er geen directe oorzaak voor te vinden was.

Net voor het slapengaan nam Goetgebuur een digitale foto van zijn hoofd. Het werd een zelfportret, vervormd door pixels en door de nabijheid van onderwerp tegenover de lens, maar het moest gebeuren. Onmiddellijk schakelde hij het toestel aan zijn computer aan en bracht de informatie op zijn harde schijf. De confrontatie met zichzelf op het scherm was anders dan in de spiegel. Het bood bepaalde verwachtingen en mogelijkheden waar Goetgebuur weigerde op in te gaan. Ondertussen opende hij een grafisch programma en begon hij, pixel per pixel, zijn gezicht te corrigeren. Met een verfborsteltje dat hij via de muis kon bedienen, wiste hij zijn glimlach beetje bij beetje uit, tot hij een tweedimensionale, onbestaande persoon werd. Een kunstmatig gecreëerde figuur, maar dan zonder glimlach. De aanblik vertederde hem en dus maakte hij snel een print. Het portret van de 'man die zichzelf niet meer was' gleed zachtjes uit het toestel en kwam, als een voorzichtige kennismaking, voor hem te liggen. Goetgebuur liet het voorlopig waar het was en ging slapen.

Midden in de nacht, toen de rode digitale cijfers van de wekkerradio even voor drieën aanduidden, werd Goetgebuur wakker door een vreemd geluid. Hij had gedroomd. Veel kon hij er zich niet van herinneren, al wist hij zeker dat hij er in zijn droom bijliep zonder glimlach. Het was voor het eerst dat hij nog eens met plezier een droom indook.

Hij kon het geluid aanvankelijk niet goed thuisbrengen. Was het Aline die voor een primeur zorgde en voor het eerst in hun huwelijk snurkte? Of was het een wilde kat die 's nachts de buitenwijk onveilig maakte en op elke oprit ging bedelen? Goetgebuur wilde diep ademhalen en zich weer op zijn zij draaien om het onbekende geluid te negeren, toen hij opeens merkte dat het geluid van hemzelf kwam. Het kwam uit zijn mond.

Langzaam ging hij rechtop zitten en staarde in de duisternis van zijn burgerlijke slaapkamer op zoek naar een referentiepunt. Het gordijn was maar voor drie vierde dicht en een glimp maanlicht *counterde* het oranje licht van de straatlantaarn.

Ja, het geluid kwam van hem.

Hij ging op de rand van zijn bed zitten en staarde ongeïnteresseerd naar een lege asfaltplek op straat terwijl hij het geluid analyseerde. Het leek op een inwendig zuchten. Een diep uitademen als de laatste adem van een stervende oude man, maar dan wel een laatste adem die steeds werd herhaald. Het had iets van een hik, maar dan wel een meer complexe hik. De zucht of het uitademen zelf was vrij gewoon. Een beetje zoals men zucht wanneer men hard gelopen heeft. Maar dat was nog niet alles. Samen met de zucht kwam nog een ander geluid naar buiten. Van dieper. Het kwam uit zijn keel. En het leek warempel op een trillen van zijn stembanden.

Terwijl hij voor het raam de contouren van de villa's in zijn straat in zich opnam en zich realiseerde dat hij eigenlijk liever naar gebouwen dan naar mensen keek, werkte hij zich een weg door deze laster door middel van eliminatie. Gorgelen of rochelen, dat was het zeker niet. Daarvoor was het te droog; er kwam immers geen speeksel aan te pas. Een hoest of schrapend begin van een keelontsteking was het al evenmin. Daarvoor was het véél te regelmatig en te gezond. Aan het einde van zijn denkbeeldig lijstje aangekomen, kon Goetgebuur niet anders dan besluiten dat het om hetzelfde euvel ging. Het was gewoon niet meer dan de logische, natuurlijke voortzetting van zijn glimlach.

Het was de lach, nu ook in audio verkrijgbaar.

De glimlach was – na iets minder dan 24 uur – in een volgend stadium beland. De eerste symptonen waren ingehaald door de tweede reeks. Goetgebuur kon het bijna niet geloven. Hij liep de overloop op en hield met onrustig wakende spleetogen zijn op- en neergaande borstkas in de gaten. Op en neer. Het kon zijn verbeelding zijn geweest, maar werd de lach niet luider hoe meer hij zich zorgen begon te maken? Had hij op dat moment een soort van *audiowave*machine kunnen aanschakelen, zou de curve of frequentie niet nog meer heuveltjes vertonen? Het was allemaal moeilijk in te schatten. De hypochonder in hem was er vrijwel zeker van dat een bepaalde vorm van denkbeeldige progressie hem steeds nerveuzer maakte. Met andere woorden, het was niet langer enkel de natuur die haar duivelse werk deed. Het was nu ook zijn psyche die zijn steentje bijdroeg.

Met een pocketuitgave van *La Disparition* van Georges Perec in de hand ondernam hij een poging om in de fauteuil wat te lezen. Tussen het geeuwen door werd hij steeds vaker gestoord door zijn eigen gedempte gekakel. Hij moest elke zin twee tot drie keer herlezen om de ware betekenis ervan te doorgronden. Dat zijn denken in gevaar werd gebracht was eigenlijk nog het minste van zijn zorgen.

Al geruime tijd hield Goetgebuur wat het echte denken betrof bewust de boot af. Hij was met de jaren verzonken in een soort van relativerende, berustende oppervlakkigheid die hem wel zinde. Hij kon zich nu zonder schaamte verstoppen achter de verplichtingen van de *suburbia*. Hij was een van die mensen geworden die op een laconieke, 'andere' manier ging fietsen dan iemand die bijvoorbeeld echt begaan was met fietsen. Hetzelfde gold voor het luisteren naar muziek, het bekijken van films, het bezoeken van theaterstukken. Er had zich een *au sérieux*-werende laag op zijn netvlies geplant die al die zaken in een ander daglicht stelde. Zelfs sportverslagen kon hij nu van op afstand volgen, zonder al te veel inlevingsvermogen. Al bij al ging Arthur Goetgebuur de laatste jaren met een dromerige afwezigheid door het leven, afgezien van zijn literaire ambitie.

Nu kwam echter dat moment om wakker te worden en 'aanwezig' te zijn.

☺

Na drie bladzijden had Goetgebuur nog altijd niet door dat in het boek van Perec de letter 'e' verdwenen was en hij legde het boek opzij. Hij wijdde zich nu aan het aanschouwen van de dag die aanbrak. Vanuit het venster op de overloop zag hij eerst het keukenlicht van zijn buren aanspringen, dat zijn eigen achtertuin voor de helft belichtte. Daarna zag hij het leven zoals het was en hoe de draad weer werd opgenomen. Een leven waarbij hij sedert gisteren buitenspel was gezet. In de verte, in het verlengde van zijn achtertuin, zag hij in de volgende straat een harde werker al in zijn wagen stappen. Goetgebuur wilde glimlachen om de onbeholpen handelingen waarmee de man de sneeuw van zijn voorruit wegjaagde en zijn slot ontdooide. Maar het lukte niet. Hij kon zelfs niet meer in stilte lachen. Het gehinnik had nu al zo'n volume bereikt dat het leek alsof hij de man gewoon aan het uitlachen was. En in feite was dat ook zo: waar hield die arme stakkerd zich eigenlijk mee bezig, dacht Goetgebuur, de futiliteiten die zijn leven bepalen!

Rond een uur of acht kwam Aline Goetgebuur haar kamer uit. Ze deed dat zoals iemand die plots bemerkt dat haar echtgenoot 's nachts niet is thuisgekomen. Haar gezicht stond eerst streng en bezorgd. Haar nachtjapon hing halfopen. Pas toen ze merkte dat Goetgebuur braaf in zijn fauteuil bij het raam zat te hinniken, verslapten haar aandacht en scherpte weer. De strengheid verdween en ruimde plaats voor een ochtendlijk geeuwen. Zichtbaar op haar hoede, trok ze ook gegeneerd haar nachtjapon dicht.

'Het is er niet op verbeterd', probeerde hij tussen het gehinnik te zeggen.

'Misschien moet je een afspraak met de dokter regelen.'

'Zou ik hem ook zonder afspraak kunnen zien, denk je? Dit lijkt alsmaar dringender.'

Overdag lijken de zaken des levens altijd minder erg dan 's nachts. Er is iets in de nacht dat pietluttige dingen opeens zoveel belangrijker maakt. Er zit iets onheilspellends in de nacht dat wellicht in grote mate te maken heeft met de zachte toenadering van de dood die op prospectie komt. Je komt in een min of meer abstracte wereld terecht die je ongemakkelijker maakt dan overdag. Ontwaken en aan de verse dag beginnen heeft daarom iets optimistisch en kinderlijk prettigs.

Nu had Arthur Goetgebuur de indruk dat deze stelling toch met de nodige nuance moest worden benaderd. Hij had de indruk dat het omgekeerd werkte. In alle stilte had hij zich deze nacht nog voorgehouden dat het allemaal zo erg niet was. Dat het wel voorbij zou gaan. Dat er zelfs voor dit euvel een remedie bestond. Maar nu hij volgens de regels en de wetten van de gewone dag werd geconfronteerd met andere mensen en andere verplichtingen zoals praten en communiceren, stonden de zaken er anders voor. Gewoon praten zat er al niet meer in. (Het was een schok, maar waarom het niet onder ogen zien?) Een mens staat ervan verbaasd hoe gehandicapt hij wel is zonder zijn spraakvermogen. Nog meer dan het technische defect dat hem te beurt was gevallen, vloekte Goetgebuur in zichzelf wegens de manier *waarop* dit gebeurde. Het was niet zozeer *dat* hij zich niet meer fatsoenlijk kon uitdrukken wat hem dwars zat. Het was *wat* hem precies verhinderde te praten. De gedachte dat het geen keelkanker was of versleten stembanden die hem deze lepe streek leverden, maakte hem gewoon woedend. Het was iets totaal losgeslagen, iets geks en abnormaals en juist dat abnormale liet hem vermoeden dat dit had kunnen worden vermeden. Hoe het kon worden vermeden, dat wist Goetgebuur niet.

Ach.

Hij was zonet in de derde fase van het verwerkingsproces beland. Meer was het niet. Na het gebruikelijke ongeloof en de nieuwsgierigheid kwam nu het onvermijdelijke zelfbeklag. Waarom hij? Waarom nu net Arthur Goetgebuur? Wat had hij ooit misdaan om dit genadeloos lot te verdienen? Het was dezelfde kreet van joodse overlevenden van de holocaust. Was hij een jood geweest, dan was deze hele toestand misschien te rechtvaardigen. Misschien ben ik wel een jood, dacht hij opeens. Het was een gedachte die al een paar keer was komen opzetten. Hij dacht aan zijn grote, lange neus, zijn bruine huid en zijn absurd gevoel voor humor. Ja, misschien had zijn moeder het de hele tijd voor hem verborgen gehouden. De dood van haar eigen vader was in dat licht misschien een stuk veelbetekenender. Alles was misschien een leugen geweest. Hij zou het kunnen onderzoeken, als hij niet eerst een ander probleem moest oplossen.

Onbewust – en ook om zich zo introvert mogelijk aan het werk te zetten – ging Goetgebuur een denkbeeldig lijstje van oorzaken af. Hij overliep de eerste genomineerde zonden die hiervoor verantwoordelijk konden zijn. Omdat Arthur Goetgebuur geen onverstandig man was, kon hij al vooruitkijken en zien welke andere fasen van het verwerkingsproces nog in het vooruitzicht lagen. Hij zag ze al, ook al voelde hij nog niets voor ze.

Na het zelfbeklag kwam de vierde fase, de ontkenning. Ooit, in de nabije toekomst, zou het moment komen waarop hij dit alles zou ontkennen. Welke glimlach bedoel je? Welk geluid? Ik hoor niks. Na deze eerste vorm van ontkenning kwam de tweede die erin bestond dat de persoon het kwaad wel erkent, maar niet dat het een probleem vormt voor het verdere verloop van zijn bestaan. O.k., ik heb een glimlach en wat dan nog? Sommige mensen hebben een glazen oog.

Daarna kwam de vijfde fase, de woede en de agressie. Goetgebuur keek met enige bezorgdheid tegen deze fase aan. Dit zou niet mooi worden. Kon hij deze fase in het verwerkingsproces ooit overslaan? Het viel te proberen. Misschien ging het wel vanzelf. De laatste fase ten slotte was de berusting. Hij maakte er geen geheim van dat hij al met enig enthousiasme uitkeek naar de berusting. Goetgebuur haatte immers inwendige conflicten.

Toen hij zichzelf voldoende had gepositioneerd binnen het verwerkingsproces, besloot Goetgebuur om de rest van de dag binnen te blijven. Dat vertelde hij ook aan Aline die er geen problemen mee had, als hij de dokter maar liet komen. Op slag voelde Goetgebuur zich als een kind dat wil thuisblijven van school, een ziekte veinst en allerlei voorbereidingen treft zoals de thermometer tegen de radiator houden, en dan plots, uit het niets, van zijn moeder te horen krijgt dat hij inderdaad thuis mag blijven. De verlossing werd te snel ingelost. Het moest wel een serieuze zaak zijn, dacht Goetgebuur grimmig, als zelfs Aline me aanraadt om binnen te blijven.

Aline was de tegenvoeter van een lijntrekker. Ze werkte geen minuut te weinig. Daardoor ging ze ervan uit dat iedereen dezelfde ingesteldheid deelde. Nu leek ze echter een uitzondering te willen maken.

Toen Aline vroeger dan gewoonlijk de deur uit was, nam Goetgebuur een welverdiend bad. Hij had zich voorgenomen om de voormiddag op eigen houtje een paar methoden uit te testen. De eerste in de rij was de relaxatietechniek. Goetgebuur gleed lekker onderuit en nam het ervan. Hij rilde van genot toen hij dacht aan het sneeuwtapijt op zijn oprit en het hete water voelde. Het water slorpte de stress op. Ondertussen opperde Goetgebuur de stelling dat hete vloeistof een massa week en zacht maakte, net zoals koude vloeistof een massa hard en stijf maakt. Hoofdbedoeling was dus om de omgeving rond zijn stembanden en zijn borst heel warm en soepel te maken, om het geheel helemaal los te weken zodat de vastgelopen hiklach er terug uit kon ontsnappen.

Als de lach dan toch niet meer was dan een soort hik, dan moest hij maar eens zijn adem inhouden. Spelenderwijs liet hij zich een paar keer helemaal onderuitzakken, de kin tot op het rustige wateroppervlak. Maar dat had alweer een omgekeerd effect. Misschien kwam het door de weerkaatsing op het wateroppervlak, maar het feit was dat de lach harder en ijler werd. Eén keer ging Goetgebuur helemaal kopje-onder. Het resultaat was hallucinant. Hij had nog nooit iemand onder water horen lachen. Laat staan zichzelf. Het klonk als een dof en hol gepomp dat niet lang kon worden volgehouden. Goetgebuur probeerde zijn mond dicht te houden, maar kreeg prompt een vloed water binnen waarin hij zich bijna verslikte. In een fractie van een seconde, toen hij nog onder water was, dacht hij aan de illustere Amerikaan die ooit het Guinness Book of Records had gehaald. Een zekere Charles Osborne kreeg in 1922 de hik toen hij een varken voor de slacht aan het wegen was. De aanblik en de daad om een levend wezen van het leven te beroven hadden Osborne overstuur gemaakt. Het lukte hem niet om te genezen maar hij leidde een normaal leven, trouwde twee keer en werd vader van acht kinderen. Zijn hikaanval stopte uiteindelijk vanzelf op een ochtend in 1990.

Hevig uitademend sprong Goetgebuur weer recht waarna de lach – die we nu het beste kunnen omschrijven als een kakellach – geleidelijk aan weer zijn monotone toon aannam. Nadien concentreerde hij zich op de meest relaxerende geneugten van elke dag. De momenten waarop hij op de pot ging, waren zowat de enige die nog de moeite loonden. Goetgebuur vond de laatste tijd enkel nog voldoening in het zuiveren van zijn lichaam: ontlasten, masturberen, zweten en rochelen.

Om wat uit te blazen van zijn eigen geweld, nam Goetgebuur er zijn dagplanning bij. Zijn agenda was zoals altijd zeer gevuld en toch niet echt veelzeggend. De 'taken' die hij als hobby's moest beschrijven, had hij gewoon willekeurig van een denkbeeldig prikbord gehaald. Had hij op een andere dag die beslissingen of keuzes gemaakt, hij had totaal andere hobby's gehad. Ook hier speelden zijn vastberaden zweverigheid en koppige nonchalance de hoofdrol. Goetgebuur had er van meet af aan een zaak van gemaakt om, ondanks zijn koelbloedige werkdagen, een zo veelzijdig en afwisselend leventje *on the side* te hebben.

Vandaag was dat onder meer zijn wekelijks partijtje tennis over de middag (zoals de echte haaien deden in *flashy* commercials), een vergadering met het bestuur van de lokale culturele vereniging die een stukje uit de *Mattheuspassie* van Bach zou opvoeren en een kleine reünie met een oude schoolmakker. De noodzaak om al die zaken af te gelasten, maakte hem blij. Het maakte hem belangrijk, maar dreef hem tegelijkertijd verder af van de beschaving.

Wat moest hij doen? Werd hij verondersteld niet te komen opdagen voor de vergadering van de vereniging? Dat kon hij niet maken, zeker niet tegenover Miranda.

Miranda.

Hoe kon hij haar nu meer dan 24 uur uit zijn hoofd hebben gebannen? Wat hij twee dagen geleden nog als onmogelijk en verraderlijk beschouwde, was nu dus gebeurd. Hij zou het haar natuurlijk nooit met zoveel woorden zeggen en mocht dat wel het geval zijn, dan kon hij nog altijd de lachkramp als zinnig excuus opvoeren.

Het was de eeuwenoude Maslowwet van noodzakelijke behoeften. Men begint onderaan de ladder. De eerste behoeften die moeten worden ingevuld, zijn de levensnoodzakelijke, zoals voedsel, een dak boven het hoofd en gezondheid. Eenmaal deze basis gelegd is, klimt men een stukje hoger en kunnen andere behoeften worden ingevuld. Gezinsgeluk, uitbreiding van een vriendenkring. Wanneer dit achter de rug is, volgt de materiële invulling, de behoefte aan luxe, zoals een mooie stereo-installatie, de nieuwste Mercedes *break* of een merkengarderobe van Gucci en Armani. Het is zoals de *levels* van een videogame: eenmaal je slaagt voor het eerste level, mag je door naar het volgende.

Goetgebuur verkeerde tot voor kort op het hoogste level. Zijn zorgeloze leven was zo vervolledigd dat hij zich als hobby kon ontplooien op de hoogste luxe van allemaal: de liefde. En dan nog de liefde die nooit tot het echte geluk kon leiden. Een onmogelijke liefde, een voorlopig onbeantwoorde liefde en daarom de puurste liefde van allemaal. Niet te verwarren met de liefde die werd ondergebracht in het tweede level; de invulling van het gezinsgeluk. Dat was een ander soort liefde, die dichter aanleunde bij een geborgenheid en huiselijke bescherming. Dit was de liefde in zijn meest luxueuze vorm: liefde weer geëxtrapoleerd en herleid tot de zuivere verliefdheid van een dwaas die niets beters te doen had.

Goetgebuur voelde zich bij Miranda als een romantische tiener. Hij keek evenzeer uit naar de vergaderingen als een schooljochie naar zijn eerste afspraakje. Maar daar bleef het dan ook bij. Goetgebuur had Miranda met nog geen vinger aangeraakt en als het van hem afhing, zou hij dat ook nooit doen. Het zou de zeepbel in één ruk uiteen laten spatten. Miranda was al het onbereikbare in één persoon: ze was negen jaar jonger, ongetrouwd, ongeremd en heel zelfstandig. Goetgebuur had een vrij unieke relatie met haar en daar was hij best trots op. Trots op het feit dat hij zijn testosteron in bedwang kon houden, samen met die chemische reactie in zijn hersenen die hij altijd net op tijd wist in te tomen. Goetgebuur vond genegenheid en vertrouwen bij Miranda.

De intimiteit tussen hen straalde in zijn eenvoud. Het beperkte zich tot een schuchter aanraken van ellebogen en hun gezamenlijk luisteren. Verder dan dat ging hun relatie niet. Goetgebuur vond in Miranda datgene wat in Aline verloren was gegaan. Of liever, datgene wat bij Aline was ingepalmd door de sleur van het huiselijke genot. Miranda moest dan ook niet zo gek veel doen om hem te bekoren. Ze moest er enkel *zijn*. Ze moest enkel de andere vrouw in zijn leven zijn. Voor zijn part mocht ze zelfs niet meer dan een herinnering of een verre correspondentie-vriendin zijn. Als ze maar bestond. Want ook Goetgebuurs verwachtingen waren in de loop der jaren met steeds minder tevreden geraakt. Hij voelde zich perfect voldaan – en zelfs gelukkig – in deze dubieuze, halfslachtige toestand. Hij leefde de hele tijd op het puntje van zijn stoel alsof er elke dag iets groots te gebeuren stond. Alsof hij elke dag met Miranda kon ontsnappen naar onbekende horizonten, ook al zou dat nooit gebeuren en had hij er eerlijk gezegd ook geen zin in.

Zo had hij erover gedacht vóór de glimlach. Nu waren de zaken veranderd. Ingrijpend veranderd. Verstoten uit de wereld werd Goetgebuur opgesloten en bevrijd tegelijkertijd. Door de glimlach zou hij weleens gekke dingen kunnen doen. Afgaande op de onbegrijpelijke verklaring kon hij zichzelf misschien niet meer onder controle houden en zou hij Miranda tijdens de volgende vergadering van de stoel stoten en op haar gaan liggen. In het bijzijn van alle anderen zou hij zich niet meer moeten inhouden en zou hij misschien zijn broek laten zakken om haar te verkrachten. Het ging hem immers niet om het verkrachten zelf, maar veeleer om de daad, de durf en het uitdagen van de rest. Als een wild beest zonder scrupules vielen met de glimlach ook alle morele remmen weg. Wie weet wat er nog allemaal zou volgen: verkrachting, bruut geweld, diefstal, moord…

Terwijl op de achtergrond het bad leegliep, zat Goetgebuur met bloot achterwerk op de vensterbank in de badkamer. Hij smeerde zijn hals en zijn borst in met de speciale zalf die hij ook gebruikte voor zijn tenniselleboog en biceps na het tennissen. Het duurde niet lang voor zijn huid rood uitsloeg en hij het binnenin voelde kloppen, branden. Dat hij met bloot achterwerk op de verhitte vensterbank ging zitten, was niet toevallig. Het was bewezen dat men extreme vormen van pijn en ongemak kon counteren en afleiden, door de pijn op andere plekken van het lichaam te concentreren. Met andere woorden: had je een vervelende hoofdpijn, dan stak je het best een naald in je voet om die pijn te verleggen naar minder essentiële oorden. Nu ging het bij Goetgebuur niet meteen over pijn, maar veeleer over een ongemak. Maar proberen wilde hij het alleszins wel, hoewel het al na een paar minuten duidelijk werd dat de zalf, noch de hete radiator het gewenste effect hadden.

Om vier minuten voor drie van de tweede dag werd Arthur Goetgebuur officieel opgenomen in het ziekenhuis. Hij liet zich vrijwillig opnemen. Hij deed het deels omdat hij zich zo verveelde, en deels omdat het hem gewoon allemaal te veel werd en omdat hij de last niet meer alleen kon dragen. In alle kalmte belde hij het ziekenhuis en fluisterde tussen de lach door dat het om een spoedgeval ging.

Goetgebuur legde de hoorn nog maar op de haak of de lach werd een typische zenuwlach, doordat er een hele opluchting door zijn lichaam sidderde. Hij had zichzelf niet meer in de hand en had de verantwoordelijkheid net op tijd bij anderen gelegd. Daarna kwam hij langzaam tot de vaststelling dat hij een paar zaken was vergeten mee te delen. Zoals bijvoorbeeld: was het mogelijk om hem met zo weinig mogelijk poeha te komen ophalen? Een caravan van ziekenhuiswagens met loeiende, dreigende sirenes was niet nodig. Een draagberrie met lederen riemen leek hem in deze situatie ook wat voorbarig en overbodig. De aard was psychologisch. Eigenlijk had hij evengoed een taxi kunnen bellen, hoewel dat dan weer te ongeloofwaardig zou zijn. Het leek hem in eerste instantie vooral veel veiliger om zich toe te vertrouwen aan professionele helpers.

Bij nader inzien had de waterman in hem weer iets te impulsief gehandeld. Per abuis leek hem het alarmeren van het ziekenhuis gewoon het volgende in de rij, na het doktersbezoek en het ziekteverlof. Hoe stonden de zaken er ondertussen voor? De lach was opeens in een stroomversnelling geraakt. Terwijl deze ochtend het volume van de kakellach was toegenomen, leek nu ook het ritme van het lachen sterk te zijn gestegen. De vijf à zes seconden rust of stilte die voordien nog tussen twee uitlatingen lagen, waren nu drastisch ingekrompen tot twee, maximaal drie seconden.

In de tijd die het ziekenhuis nodig had om de diensten de weg op te sturen, volgde Goetgebuur een vast ritueel als iemand die een moord heeft gepleegd en zich in alle sereniteit aangeeft. Hij zag nog een kans om zijn tennistas te vullen met een extra boxershort, wat douchegerief en het boek van Perec. Daarna nam hij afscheid van zijn vertrouwde omgeving, van zijn kamer, zijn huis, zijn huisgenoten. In de woonkamer nam hij pathetisch een foto op van Aline en van zijn moeder. Toen keek hij rond om te zien of hij niets was vergeten. Er ging een onweerstaanbare drang door hem heen om nog snel een paar huishoudelijke taken uit te voeren. Alsof hij de zaak alsmaar wilde uitstellen, veegde hij enkele vuile cirkels van achtergebleven glazen op de salontafel weg. Hij deed het om iets te doen, om bezig te blijven en om zich er niet op te laten betrappen dat het leven zoals hij het kende al voorbij was.

Zijn timing klopte perfect, want tegen de tijd dat hij met vastberaden schwung zijn sjaal rond de hals sloeg, parkeerde de ziekenwagen voor zijn deur. Twee mannen in maagdelijk witte uniformen lieten de draagberrie gelukkig voor wat ze was en kwamen met lege handen aanbellen, als twee getuigen van Jehova. Bij het oplopen van de oprit waren ze zeer geïnteresseerd in de enigmatische figuur van de sneeuwman die Goetgebuur had gebouwd.

Veel hoefde Goetgebuur niet te doen om de mannen duidelijk te maken in wat voor exuberante toestand ze verzeild waren geraakt. Ze moeten hem al vanuit het verste eind van de hal hebben horen aankomen, dus waren ze in zekere zin wel voorbereid. Waar Goetgebuur nog niet echt had bij stilgestaan, was dat zijn ziekelijke lach ook aanstekelijk werkte. Tenminste, de lach in dit vergevorderde stadium. Klaarblijkelijk was de lach voor iemand die er niet op voorbereid was – zoals Aline erop voorbereid was na de kennismaking van de avond tevoren – een surrealistische ervaring. Er was een bepaalde cadans ingeslopen die de aanhoorders meesleepte, een beetje zoals een leuke song die de hele dag in je hoofd blijft voortdreunen.

Bijna automatisch begonnen de twee mannen dan ook mee te lachen. Ze konden niet anders. Zelfs wanneer het na enkele seconden duidelijk werd dat er niets was om mee te lachen en ze verondersteld werden in actie te schieten en de arme Goetgebuur te helpen, bleven ze voortlachen. Uiteindelijk gaf de oudste van de twee mannen het goede voorbeeld en even later begeleidden ze Goetgebuur met uitgestreken gelaat tot aan de ziekenwagen.

Natuurlijk waren de verschillende duiveltjes uit de brave verkaveling al uit hun doosje gesprongen. In de nette voortuinen van de aanpalende bungalows stonden Goetgebuurs buren bezorgd toe te kijken. Nog even en ze hadden hun klapstoeltje uit het tuinhuis genomen en in de voortuin neergeplant om de scène, alsof het om de dorpskermis ging, te volgen.

Een ziekenwagen in zo'n comateuze wijk zorgde vanzelfsprekend voor heel wat tumult. Arthur Goetgebuur werd opgehaald. De meeste buurtbewoners wisten dan ook niet echt hoe zich te gedragen. Moesten ze op hem toe komen lopen en hem moed inspreken of vragen wat het probleem was? Of was het beter om van op afstand eerst een objectief oordeel te vellen en zich koest te houden? Hoe reageert iemand op het feit dat zijn buur een kinderverkrachter blijkt te zijn of wordt opgepakt omdat hij zijn hele gezin met een karabijn heeft afgemaakt? Eén iemand, een gepensioneerde bioloog die van zijn moestuintje zijn laatste grote zaak had gemaakt, stak een hand op, maar dat was dan ook alles. Voor de rest stonden huisvrouwen met een schort rond hun middel opvallend lang hun stofdoek uit te kloppen en hielden zakenmannen zich opvallend lang schuil in hun besneeuwde iglo-wagens.

Goetgebuur voelde zich beschaamd. Hij had zich nog zo voorgenomen om deze uittrede als een echte man te trotseren, maar het was dus niet gelukt. Hij, Arthur Goetgebuur, werd afgevoerd! Hij, die in het weekend de gordijnen sloot en achter zijn laptop kroop om de buitenwereld te beschrijven! Hij, die zich verzette tegen de alledaagse waanzin die zijn buren voortdurend uitstalden. Zijn overburen bijvoorbeeld die elke dag om zes uur opstonden om hun rolluiken en hun tuinpad te poetsen en die zelfs in de regen met een bezem het water uit hun greppel dreven terwijl het een onbegonnen werk was. Of die man een paar huizen verder die zijn gras afreed, twee, drie keren na elkaar, alsof hij met iets zinnigs bezig was. En wat gezegd over de vrouw die uit pure noodzaak de notelaar kaalplukte, op een belachelijk laag laddertje dan nog wel, alsof het om een sprookje ging. Deze mensen zouden moeten worden gestraft, dacht Goetgebuur. Ik ben slechts de observator die zich schuilhoudt achter het gesloten gordijn, want om te schrijven moet je nu eenmaal van de kant toekijken.

Bovendien schaamde Goetgebuur zich vooral voor het geluid van zijn hyperkinetische lach die zeker een reikwijdte van vijftig meter moest hebben. Het lawaai had een zeker aantal decibels bereikt waardoor alle andere geluiden gewoon werden weggefilterd. Het doffe kraken van de dikke sneeuw onder zijn voeten bijvoorbeeld, was een meesterlijk geluid dat niet meer voor hem was weggelegd. Lichtjes hoofdschuddend (deels uit ongeloof, deels omdat zijn hele hoofd door het lachen spastisch begon te schudden) liep hij naar de wagen.

En toen zat er eigenlijk maar één ding meer op en dat was zich uitkleden, midden op straat. Om tegemoet te komen aan de wensen van zijn verbaasde buren, kon hij niet anders dan het hele spel meespelen. En dus begon hij zijn jas uit te trekken, verfrommelde hem en gooide die in de voortuin. Daarna rukte hij zijn overhemd in één keer open en de knopen vlogen alle kanten uit, zelfs tot in de goot en in de tuin van iemand anders. Hij schopte zijn schoenen uit en smeet ze op het hellende dak van zijn eigen woning waarna de rechterschoen bijna op het hoofd van de sneeuwman terechtkwam. De sokken hing hij aan de kale takken van de rozenstruik boven de voordeur, als overblijfselen uit een ander tijdperk. Voilà: hij had het gedaan. Nu kon hij met een gerust gemoed in de ziekenwagen stappen. Ocharme, die zielige gek, moeten zijn buren gedacht hebben.

Goetgebuur voelde de ijskoude sneeuw door zijn voetzolen snijden, maar hij was blij dat hij dit nog kon voelen. Met opgeheven borst en breed glimlachend en kakelend werd hij afgevoerd, en even overwoog hij zelfs om het victorieteken te slaan.

Waarom had hij zich in hemelsnaam laten opnemen? Hij had er al flink wat spijt van, hoewel hij wist dat het niet anders kon. Het was een bekend symptoom bij de gewaarwording van een onbekende ziekte. Paniekvoetbal, noemden ze het ook weleens. En terwijl Goetgebuur achterin de ziekenwagen zijn buren aan zich zag voorbijgaan, wist hij ook dat het een voordeel was. Het was achter de rug. De pijn en de schaamte waren van korte duur, maar hij had het al achter de rug. Het was zo direct geweest en zoveel beter dan een eigen initiatief waarbij hij met horten en stoten een oneindige uitleg zou moeten verschaffen aan de receptie van het ziekenhuis. Hij zag ondertussen zijn buren één voor één weer afdruipen. Het spektakel was afgelopen. Het peloton renners was gepasseerd, ze hadden niets gemist. Ze konden terug naar hun alledaagse, maar o zo belangrijke bezigheden.

Toen ze op de snelweg waren, zag Goetgebuur de winterse hemel beetje bij beetje opentrekken tot een gezonde, blauwe vlakte. Weggeplukt uit zijn vertrouwde omgeving legde hij zich al toe op zijn volgende verblijf. Het onderweg zijn beviel hem wel. Er mocht geen einde aan komen. Hoe vaak had hij zichzelf al niet wijsgemaakt dat hij van het ene moment op het andere Aline kon verlaten en de trein kon nemen naar het buitenland, ver weg van alles en iedereen? Maar alles en iedereen waren overal aanwezig en dus kwam hij telkens tot de slotsom dat de reis naar de illusie veelbetekenender was dan de aankomst. Zoals alles in zijn leven was ook deze gedachte niets meer dan lucht gebleken.

Tijdens het verdere verloop van de rit viel het hem op met welk gemak de twee mannen vooraan over het voetbal van afgelopen weekend aan het kwebbelen waren. Hij kon het gesprek met moeite volgen omdat zijn eigen lach zo de overhand had genomen dat hij eigenlijk niets anders meer kon horen. Maar af en toe ving hij toch nog flarden op. Hij moet op de een of andere manier een techniek hebben ontwikkeld waarbij hij een apart gehoorsysteem hanteerde. In normale omstandigheden zou Goetgebuur handig hebben ingespeeld en zijn kennis omtrent het voetbal hebben uitgebuit. Sommige mensen vonden Arthur Goetgebuur ietwat arrogant. Dat kwam omdat hij doorgaans weinig speciaals te melden had, maar wanneer hij echt zeker van zijn stuk was, er zo in opging dat het de mensen bijna choqueerde. Ze waren het niet gewoon om hem zo te horen doordraven en omdat ze het niet gewoon waren, ervoeren ze het met het nodige wantrouwen. Hij hoorde een van de mannen bezig over de invalbeurt van een zekere Johanson, terwijl dat niet klopte. Het was niet Johanson maar Edmilson. Toegegeven, het klonk ongeveer hetzelfde, maar de ene was een Zweed en de andere een Braziliaan. Halverwege de rit werd het tussenvenster dichtgeschoven zodat Goetgebuurs voortdurend gelach de mannen niet meer kon storen.

De ontvangst op de spoedopname was iets minder royaal en uitzinnig. Iedereen was er met veel belangrijkere dingen bezig. Levens moesten worden gered, vreselijke verkeersslachtoffers moesten worden gereanimeerd. Goetgebuur voelde zich niet op zijn plaats, maar voor een keertje was dat een zegen. Hier hoor ik niet thuis, dacht hij. Een asielzoeker die in het ene noch in het andere land binnen kan en zich het beste voelt in de terminal van het niemandsland. Uiteindelijk werd hij vriendelijk verzocht eventjes in de wachtzaal te blijven tot iemand hem zou komen halen. Alweer een test die hij moest doorstaan. De wachtzaal zat vol. Om zijn gedachten wat te verzetten, begon Goetgebuur in afwachting verder na te denken over zijn plannen.

Jazeker.

Goetgebuur had nooit veel plannen gehad in dit leven. Maar omdat hij toch niets anders te doen had en omdat het leven met een lach niet te onderschatten viel, kon hij maar best een paar zaken op een rijtje zetten. De enige plannen die hij ooit had gemaakt, had hij wel verwezenlijkt en dat was alvast een verdienste op zich. Hoe minder plannen, hoe groter de kans dat je niet faalde. Momenteel bevond Goetgebuur zich op het derde belangrijke kruispunt van zijn leven. Het eerste kruispunt was hij op zijn achttiende aan honderd kilometer per uur voorbijgeraasd. Toen had hij de beslissing genomen om eens en voor altijd zijn eigen zin te doen. Hij nam zich voor om open te staan voor alle mogelijke ideeën en raadgevingen, maar zijn eigen weg zou de enige weg zijn en wie deed hij daar kwaad mee?

Het tweede kruispunt had hij met de nodige voorzichtigheid benaderd (met de voet krampachtig boven het rempedaal). Dat was de tijd waarin hij compromissen had gesloten met Aline. Hij had nog steeds zijn eigen meningen en zijn eigen dromen te verwezenlijken, maar daar kwamen nu nog plichten en rechten bij. Nu leek het Goetgebuur in eerste instantie een paradox om te leven volgens plichten en rechten van een relatie en toch je eigen zin te doen. Maar bij nader inzien trok hij zich vrij goed uit de slag, want als er hem een plicht niet aanstond, dan beschouwde hij het als zijn recht om zijn eigen zin te doen. Nu waren die rechten en plichten vrij relatief. Ze beperkten zich tot voor de hand liggende punten.

Maar sinds een aantal maanden naderde Goetgebuur het derde en laatste kruispunt van zijn leven. Het was zijn laatste kans om zijn leven in eigen handen te nemen. Hij kon nu rechts of links afslaan, dat maakte niet veel uit. Maar de weg rechtdoor was de automatische piloot waarbij het verstand op nul werd gezet en de blik op oneindig, tot de dood erop zou volgen.

Wat die laatste beslissing was, wist Goetgebuur nog niet, hij wist alleen dat hij ze moest nemen en wel meteen, voor het te laat was.

Geruime tijd later ontwaakte Goetgebuur uit een diepe slaap in een eigen, gerieflijke kamer. Hij voelde zich alsof hij twee weken slaap had ingehaald. Hij ontwaakte met een gat in zijn geheugen en miste de gegevens en gebeurtenissen die zich hadden voorgedaan vlak na zijn opname in de spoedafdeling. Hij lag in een witte jurk aan een infuus en keek tegen het zwarte scherm van een pretentieus televisietoestel aan. Had hij dan toch gedroomd? Of was er zoveel tijd voorbijgegaan dat er zich ondertussen al een groep binnenlandse en buitenlandse specialisten aan het werk had gezet? Had hij een internationaal congres of symposium gemist waar zijn uniek geval uitvoerig werd besproken en geanalyseerd? Hij gruwde van zijn eigen gedachten, maar op dat moment hoopte Goetgebuur voor het eerst in zijn leven op de doorbraak van de geneeskunde. Zijn argwaan was altijd gegrond geweest – waarom was de moderne geneeskunde vandaag nog altijd niet in staat om kanker en hartziekten te bestrijden, als ze wel in staat was om een muis een menselijk oor aan te naaien? Maar nu voelde hij zich vernederd omdat hij op zijn stappen terug moest komen, als een verloren zoon die noodgedwongen zonder geld naar huis gaat. Goetgebuur schoof zijn vernedering opzij en hoopte vurig op gunstige resultaten.

'Hoe lang ben ik precies onder zeil geweest?' vroeg hij zich af. Het moest toch een aanzienlijk aantal uren geweest zijn, want de kakellach was nu uitgebarsten tot een bulderende, overweldigende hysterische lach. Hij was uitgegroeid tot het summum van het lachen. Men kon, bij wijze van spreken, niet luider en onaangenamer lachen dan dit. Als een slaaf die reageert op de vraag van zijn meester, ging een grijze man in witte kiel op de rand van Goetgebuurs bed zitten. Het verdere verloop van dit gesprek tussen dokter en patiënt verliep zeer chaotisch aangezien de dokter boven de lach uit moest roepen om zich verstaanbaar te maken.

'We hebben u onder volledige verdoving helemaal onderzocht', zei de dokter die zich later voorstelde als dokter Herman Weemoedt, neus, keel- en slokdarmspecialist. 'Het was handiger werken onder volledige verdoving. Bovendien wilden we eerst weten of de kramp zich ook onder verdoving doorzette. Ik kan u alvast geruststellen dat de kramp zich dan iets meer op de vlakte hield. Hij was wel nog nadrukkelijk aanwezig, zoals men soms praat in zijn slaap, maar het bevorderde de manier van werken. Probeert u alstublieft niet te spreken. U moet weten dat dit voor iedereen een volkomen onbekend verschijnsel is. Vanaf het moment dat u werd opgenomen, wisten we al dat we iets heel speciaals in onze handen hadden. Wat wilt u precies zeggen? Ik begrijp niet wat u wilt zeggen.'

Arthur Goetgebuurs situatie was zeer ernstig geëvolueerd van moeilijk aanvaardbaar tot uitzichtloos en hopeloos. Tussen zijn bulderende lach probeerde hij nog één of twee woorden te wringen, maar hij voelde zich als een kleine baby die nog niet *kon,* maar wel al *wilde* spreken. Hoe meer hij zich verstaanbaar wilde maken, hoe harder hij begon te lachen, brullen, roepen. Ten slotte begon hij uit pure frustratie met zijn handpalmen op zijn bed te slaan, ongecontroleerd en spastisch. De specialist liet Goetgebuur volledig uitrazen en verslagen terug op het hoofdkussen vallen, nadat hij de strijd had opgegeven en de lach in al zijn glorie liet zegevieren.

'U hoeft zich niet op te winden', ging de specialist verder. 'We zijn voortdurend in contact met andere universitaire ziekenhuizen overal ter wereld. We vinden hier wel de oorzaak van en als we de oorzaak hebben gevonden, dan vinden we ook wel de remedie. Vertrouw op de wetenschap, mijnheer Goetgebuur. U bent in goede handen.'

Het was wellicht een makkelijkere klus voor de specialist dan hij oorspronkelijk had gedacht. Hij werd immers niet onderworpen aan een vraaggesprek of aan lastige klachten.

'We komen om het uur kijken hoe de zaak evolueert. Probeer ondertussen zoveel mogelijk te rusten', zei de specialist, terwijl hij opstond en nog een troostend, bemoedigend klopje op Goetgebuurs knie gaf. 'Het komt wel in orde. We hebben voor hetere vuren gestaan.'

Toen de specialist de deur uit was (op weg en op zoek naar meer herkenbare, gezelligere ziekten) bleef Goetgebuur alleen achter met zijn lach. Het onvermijdelijke was gebeurd. Hij had er nog aan zitten denken toen hij bij dokter Sturtewagen was langsgegaan. Hij had een bepaald voorgevoel gehad dat hij in een ziekenhuis zou belanden.

Twee tellen later kwam er een schitterende verpleegster binnengewaaid (nooit uit hun lood te slaan, die verpleegsters) die de routine van haar ronde als harnas gebruikte voor de verschrikkelijke aanblik. Met een gulle glimlach bleef ze op veilige afstand van Goetgebuur, zette een dienblad met het avondeten op een verplaatsbaar tafeltje, vroeg hem of ze de gordijnen mocht sluiten, besefte toen dat ze zich had laten vangen en zopas een heel domme vraag had gesteld, sloot uiteindelijk de gordijnen, legde de afstandsbediening van de televisie op het nachttafeltje, controleerde het infuus aan Goetgebuurs arm, klopte het rugkussen recht, stak het vervolgens terug onder Goetgebuur en verdween toen snel uit de kamer met de boodschap dat ze binnen het uur zou terugkomen. Goetgebuur voelde zich troosteloos.

Heel troosteloos.

Hij wou dat hij de verpleegster duidelijk kon maken dat hij de gordijnen open wilde hebben. Hij sliep altijd met de gordijnen open, vooral in de winter wanneer het licht van de sneeuw de nachtelijke hemel nog feller maakt. Een gevoel van verwondering en verwachting trad dan vanachter de sterren naar voren. Op zo'n moment creëerde hij voor zichzelf altijd de illusie dat hij ergens op een hotelkamer in Las Vegas lag en uit het raam de suggestie van een grote lichtstad zag.

Doodop van vermoeidheid zag Goetgebuur de telefoon op het nachttafeltje staan en schoot in paniek.

Ik moet dringend een paar mensen verwittigen, dacht hij. Er moesten inderdaad mensen worden gecontacteerd. Goetgebuur was nu niet meteen een onvervangbare, onmisbare kracht in het leven. Maar er moesten toch een paar praktische zaken worden geregeld. Weer kwam een gevoel van schaamte opzetten. Hoe zou Aline dit opvatten? Haar echtgenoot, Arthur Goetgebuur, opgenomen in haar eigen ziekenhuis. Maar aangezien Aline Goetgebuur als hoofdverpleegster door het leven ging, was de kans vrij groot dat ze al op de hoogte was van zijn opname (misschien zelfs nog voor hij het zelf wist). Niettemin moest hij in contact treden met haar en liefst zo snel mogelijk. Zelfs in de gegeven dramatische omstandigheden was het van essentieel belang dat Aline, zijn vrouw, het eerst werd verwittigd, zeker voor Goetgebuurs moeder. Hij voelde het niet alleen zelf als dusdanig correct aan, maar ook de wedstrijd tussen zijn vrouw, zijn moeder en schoonouders zou weer in alle hevigheid losbarsten indien hij dat niet deed. Het viel hem zwaar te moeten vaststellen dat zijn benarde, netelige toestand hem opeens tot spil van een familiale oorlog zou kunnen bombarderen. En toch was er gedurende een paar seconden de opbeurende vaststelling dat hij voor het eerst sedert lang weer het middelpunt van de belangstelling vormde. Hij zag zichzelf al liggen in de ziekenhuiskamer, omringd door al zijn naasten, vrienden, kennissen, buren, collega's.

Volgens Goetgebuur waren er mensen die populair waren tijdens hun leven en mensen die slechts populair werden aan het einde van hun leven. Hij behoorde ongetwijfeld tot de laatste categorie, al mocht het natuurlijk zo'n vaart nog niet lopen.

Goetgebuur reikte met zijn uitgestoken arm naar het belletje dat boven zijn hoofd hing. Er ging een rood lichtje branden, het teken dat een verpleegster onderweg was om hem uit de nood te helpen. Hij zag het als een opdracht. Een werk. Op de een of andere manier voelde Goetgebuur zich opgelucht dat hij iets om handen had. Dat was al geleden van toen hij de sneeuwman had gemaakt in zijn voortuin. Nu ervoer hij het in orde brengen van zijn bezoek als 'werk'. Een werk dat voor wat afleiding zou zorgen en dat hem het waanzinnige lachen zou laten vergeten.

'Wat scheelt er precies aan, mijnheer Goetgebuur?' hoorde hij de verpleegster diep in de verte zeggen. Zonder dat hij het zelf wist, had hij zich tijdens zijn nog korte verblijf in het ziekenhuis al een soort spoedcursus liplezen toegeëigend. Omdat hij overdonderd werd door zijn eigen lachen, fixeerde hij zijn blik op de bewegende lippen. Jammer genoeg werkte deze techniek niet wederzijds. Meer dan eens probeerde hij met zijn lippen woorden te vormen, maar het was vergeefse moeite. Het bleef dus bij gissingen van de verpleegsters en dokters.

'Hebben we in onze broek gedaan?' was de eerste, voor de hand liggende gok van de verpleegster en ze voegde onmiddellijk de daad bij de vraag en trok zijn deken weg om te zien of ze haar gelijk had gehaald of niet. Het waren dit soort brute platvoersheden die Goetgebuur vaak choqueerden en nog meer door de grond lieten zakken van schaamte. Nadat hij de verpleegster er door eliminatie had laten achterkomen dat zijn vraag niet door zo'n simpele handeling te beantwoorden viel, nam hij zichzelf de moeite om de boodschap op een briefje te schrijven.

'Wat is er? Gaat u het neerschrijven?'

De verpleegster leek niet heel veel tijd te hebben voor onorthodoxe communicatiemethoden en bekeek Goetgebuur alsof er nooit iets goeds uit zou voortkomen. Het was ook niet evident om tijdens het schuddebuiken een deftige zin op papier te krijgen. Zelfs zijn handschrift ging eronder lijden. Het was helemaal vervormd en liep scheef, maar het geduld van de verpleegster werd beloond en na een tijdje kwam Goetgebuur met het volgende voor de dag:

'Ik zou graag enkele mensen op de hoogte willen brengen van mijn toestand. Hieronder vindt u verschillende namen en telefoonnummers. Mag ik u vriendelijk vragen deze mensen dan ook te contacteren? Dank u wel. P.S. Ik wil graag de gordijnen open.'

De verpleegster lachte nu zelf, wellicht verbaasd om de inventieve geest die deze zieke man nog aan de dag wist te leggen.

'Zullen we doen', zei ze voldaan en hoofdschuddend verliet ze zijn kamer.

Wat het bezoek betreft, werd Goetgebuur maar gedeeltelijk tevredengesteld. Hij had niet meteen een stormloop verwacht, maar aan de andere kant had hij net op tijd oude draden weer opgepikt en contact gezocht met verloren gewaande kennissen om toch een niet-gering luisterpubliek op te bouwen.

Arthur Goetgebuur ontving bezoekers vanaf halfdrie in de namiddag tot acht uur in de avond. Op zondag was dat van twee tot zeven. Wat de verschillende specialisten hadden gehoopt te bereiken met het toelaten van bezoek, werd vooralsnog niet ingevuld. Volgens een theorie zou het bezoek niet alleen voor de nodige afleiding en ontspanning zorgen; de externe mix van geluiden van andere stemmen, de drukte en de gesprekken zouden de lach als het ware negeren. Men zou het het beste kunnen omschrijven als een klein lastig kind dat alsmaar de aandacht opeist en dat men, in plaats van het te verwennen en alsmaar op de eisen in te gaan, even links laat liggen zodat het vanzelf stiller wordt.

De eerste die Goetgebuur kwam bezoeken, was niet Aline maar de oude kameraad waarmee hij de avond tevoren had afgesproken. In de nood leert men zijn ware vrienden kennen, dacht Goetgebuur. Het was raar dat net deze kameraad hem als eerste kwam opzoeken want zijn telefoonnummer had hij niet opgegeven. Het was een vreemde gewaarwording om deze 'derde' de kamer te zien binnenwandelen. Het was jaren geleden dat ze elkaar hadden gezien en Goetgebuur nam dan ook de tijd om de veranderingen waar te nemen. Hij concentreerde zich op de kleine details van zijn oude vriend. Na een ongemakkelijke intro ging de kameraad, die David Temmerman heette, op een stoel zitten. Goetgebuur geloofde niet in predestinatie, maar het bleef hoegenaamd vreemd dat deze verloren vriend net nu, net met deze ingrijpende verandering, weer in zijn leven verscheen. De deur van zijn kamer was als een tijdspoort, een andere dimensie en met de smak waarmee Temmerman bij het binnenkomen de deur had gesloten, was ook het vorige leven van Goetgebuur afgesloten.

'Ik heb gehoord dat het om een zeer zeldzame ziekte gaat', begon de kameraad in de stoel onder de televisie. 'Zo zeldzaam dat jij eigenlijk de enige bent die eraan lijdt. Ik heb het via je vrouw gehoord. Ik wist niet dat jij getrouwd was. Gefeliciteerd.'

Toen algauw voor beide partijen bleek dat een fatsoenlijk gesprek er niet meteen inzat, beperkte David Temmerman zich tot het beschrijven van het leven dat Arthur Goetgebuur nooit gekend had. Wat een domper moet het toch niet zijn, bedacht Goetgebuur. Je zoekt een oude schoolmakker op om wat bij te praten en dan word je vanzelf in de hoek gedrumd en genoodzaakt om alleen jouw geheimen prijs te geven.

En zo aanhoorde Goetgebuur een deel van het ongetwijfeld boeiende leven van David Temmerman, een leven dat echter in dit opmerkelijke verhaal van geen enkele toepassing is. Het enige wat Goetgebuur trouwens hoorde, waren de pauzes, een beetje zoals maatschappelijk werkers in bejaardentehuizen op een gemaakte manier een verhaal voorlezen aan demente ouderen. Dement. De-mens. Goetgebuur voelde zich geen mens meer, maar een onderwerp. Hij had geen vat meer op zichzelf en door deze onverwachte komst van zijn oude vriend, leek hij zichzelf nog meer te verliezen in het moeras van een ongekend en nutteloos verleden.

Terwijl Temmerman zijn leven en zijn verwezenlijkingen uit de doeken deed, begon Goetgebuur te sterven. Hij kon en wilde er niets tegenover stellen, onderging het allemaal en stak zich zelfs weg achter de krankzinnige lach. Waarmee was hij bezig geweest in zijn leven? Wat was er de moeite om mee naar buiten te komen? Het enige wat Goetgebuur kon bedenken was dat deze oude bekende op de proppen was gekomen om een handtekening te bemachtigen van een jeugdvriend, die ondertussen een bekende schrijver is geworden.

'Ik ben directeur-manager van een bedrijf dat wegwijzers en richtingpanelen fabriceert. Je weet wel, Tuur, die bordjes die op een kaal industrieterrein de weg naar de uitrit of het magazijn aanduiden. Of de bordjes op de snelweg die de afrit aanduiden, die maken we ook, in twee kleuren. Je kunt bij ons kiezen tussen blauw en groen, hoewel groen meer iets voor zuiderse landen is. Ik ben ermee begonnen toen ik twintig was. Ik organiseerde een fuif ergens op het platteland en maakte zelf de bordjes om de weg aan te duiden. Het waren houten bordjes die ik met touwtjes rond verkeerslichten bond. Maar goed, er kwam bijna geen kat opdagen op die fuif, dat kan ik je wel vertellen, Tuur, dus ik dacht: dat zal wel niets worden met die wegwijzers. Maar kijk, vier jaar later staat daar opeens een firma van wegsignalen te koop voor maar drie miljoen oude Belgische frank. Drie miljoen, kun je je dat inbeelden? Al die tijd lag het dus al vast dat ik in die wegwijzers zou voortgaan, begrijp je? Ja, natuurlijk, ook ik reed dagelijks zo'n vijftig borden voorbij zonder me af te vragen wie die prullen maakt, wie daar nu geld mee verdient. Nu weet ik het, Tuur. Je zegt misschien dat het weinig inspirerend werk is, maar die wegwijzers zijn overal nodig. Overal raken mensen de weg kwijt. En het ironische aan de zaak is, het ironische is dat ik nooit zo'n kei in oriëntatie ben geweest. Ik was er altijd rotslecht in. Toen we in een nieuwe en betere buurt gingen wonen, mijn vrouw en ik, moest ik 's avonds telkens een paar rondjes rijden om de zaken te verkennen. Raar, hé. Enfin, als je dus eens de weg kwijt bent, laat het me weten. Ik zit overal: hier, over de zee, in het zuiden, zelfs over de oceaan. Alleen in Afrika zit ik nog niet, want daar hebben ze nog echte gidsen.'

De monoloog van Temmerman kwam met horten en stoten op gang en werd vaak onderbroken toen hij controleerde of Goetgebuur het niet te moeilijk kreeg. Een paar keer immers nam de bulderlach sterk toe en wierp Temmerman een blik in de richting van de gang, op zoek naar hulp in geval er een gebrek aan adem zou zijn. Goetgebuur was zich al die tijd blijven afvragen in hoeverre hij ooit op het college had kunnen voorspellen dat die hoe-heet-hij-ook-alweer een fortuin zou maken met wegwijzers. Ineens werd hij heel droevig omdat hij het merendeel van zijn klasgenoten uit het oog was verloren. Hij rekende er ergens op dat ze allemaal een soortgelijke weg waren ingeslagen. Dat wil zeggen: de weg van de traditie en het brave bestaan. Een uitgestippelde weg die garant stond voor een leven vol ambitie. Tegelijk hoopte Goetgebuur dan ook dat hij de enige was die van die baan was afgeweken. De enige die op deze levensweg een verdoken afrit had genomen, een sluipweg, zeg maar, misschien in de tegenovergestelde richting van het succes. Want het begon alsmaar meer tot hem door te dringen dat hij zich nooit zou kunnen vinden in succes. De keren dat hij bijna die grens of de top had bereikt, had hij zich bewust omgekeerd. Hij koos voor de anti-ambitie. Zijn enige ambitie was om geen ambitie te hebben en enkel te doen alsof. Het liefste van al zou hij door het leven gaan als een herfstblad dat door de wind wordt opgenomen en lukraak ergens wordt gedeponeerd, en of dat nu in een mooi park of een vuilnisemmer is, maakte weinig uit. Het belangrijkste was dat hij niet zelf die weg moest afleggen, maar dat de wind of het lot hem gewoon oppikte en meenam.

Aan het einde van het gesprek, dat plaatsvond net voor het avondeten, stond David Temmerman nogal onhandig op van zijn stoel en besloot met:

'Je ziet dat ik niet heb stilgezeten, mijn waarde Goetgebuur.'

Goetgebuur was gedurende het hele gesprek even meegenomen naar andere oorden, zoals je soms bij een mooie film even uit de frappante werkelijkheid werd weggenomen. Voor een bepaalde tijd was hij zich niet meer bewust geweest van de lach, al was die natuurlijk constant aanwezig. Het was alsof hij als een normaal, gezond persoon voor David Temmerman zat en af en toe eens glimlachte, sip keek, vragend de wenkbrauwen fronste, knikte, een terloopse opmerking maakte, met zijn hand even over zijn mond ging. Maar al deze dingen vonden slechts plaats in Goetgebuurs verbeelding. In feite verliep het gesprek omgekeerd evenredig aangenaam voor hem als voor David Temmerman. Op de duur vond hij van zichzelf dat hij het er nog goed vanaf had gebracht en dat het allemaal wel nog meeviel. Maar dat was natuurlijk de wet van de aanpassing. Hij was het al een beetje gewoon geraakt. David Temmerman niet.

Hij kreeg zelfs niet de kans om naar Aline te vragen. Het zou natuurlijk volkomen ongehoord zijn om bij David Temmerman te informeren naar zijn eigen vrouw.

Dat kan ik de arme man niet aandoen, dacht Goetgebuur. Hij komt van heel ver. Hij heeft bepaalde verwachtingen over zijn oude vriend. Ik mag niet zo hopeloos en van de kaart lijken dat ik onmiddellijk naar mijn eigen vrouw vraag.

Maar van Aline was er voorlopig geen spoor.

Niets.

Aline liet zich niet enkel voorbijsteken door een ouwe schoolmakker, ook Goetgebuurs werkgever, de directeur van het reclamebureau, toonde zijn medeleven. Hij kwam wel niet persoonlijk, maar liet een bos bloemen en een fruitmand brengen, met een kaartje dat door al de collega's was ondertekend. '*Be better soon*' stond erop. Niet echt een kanshebber voor de meest originele slogan, dacht Goetgebuur, al moest hij er meteen aan toevoegen dat hijzelf als copywriter instond voor de tekst op de geboortekaartjes, huwelijkskaartjes en ziektekaartjes van het bedrijf.

De rest van het bezoek kunnen we voornamelijk reduceren tot een paar leden van de culturele vereniging die druk in de weer was met de planning van de paasvoorstelling. Repetities van het koor waren volop aan de gang om een stuk uit de *Mattheuspassie* van Bach onder de knie te krijgen. Miranda had een fles porto mee en stelde voor om een aperitiefje te gebruiken als voorbereiding en om de stembanden wat los te gorgelen. Dat was een van de redenen waarom Goetgebuur een zwak had voor haar. Om de stembanden wat los te gorgelen. Hoe kwam ze erbij!

De prikkelende, zoete smaak van de porto speelde met de smaakbacillen van zijn tong en bracht de lach eventjes tot rust. Goetgebuur sloot zijn ogen en genoot met volle teugen. Hij genoot van zijn eigen afwezigheid bij de repetitie. Hij dacht aan de lege plek in de rij waar hij had moeten of kunnen staan om mee te zingen, naast Miranda misschien. Hij dacht aan de afwezigheid van zijn stem in het geheel en aan het feit dat die afwezigheid heel even zou worden besproken, net zoals het weer of de voetbaluitslagen, en daarna zou vervagen. En wonder boven wonder voelde hij zich daardoor heel opgelucht en bevrijd. Bevrijd van enige druk om erbij te horen. De vervreemding was een vriend geworden en vanaf de zijlijn nam Goetgebuur niet langer actief deel aan het gemeenschapsleven, gaf slechts enkel nog af en toe wat commentaar. Hij wilde er wel bijhoren, ook bij de repetitie, maar het leek hem beter om er uiteindelijk niet bij te horen. Net zoals Groucho Marx zei niet te willen behoren tot een of andere club, die hem als lid zou willen accepteren.

Omringd door een subtiele kring van kennissen en in de handen van allerlei slecht nieuws – de slechte financiële toestand en toekomst van de vereniging door het wegvallen van een paar subsidies en een afhakend ledenaantal, de koude omgeving van de ziekenhuiskamer, de nooit aflatende lach die als spelbreker optrad – voelde Goetgebuur zich toch even gerustgesteld. Alles wordt relatief, dacht hij bij zichzelf. Hij was ondertussen al zover op de piramide van de levensbehoeften afgedaald dat dit pietluttige, nietszeggende moment voor hem nu eeuwig mocht blijven voortduren. Terwijl datzelfde moment een week geleden voor hem de hel was geweest. Relatief. Alles.

Maar het werd nog mooier. Blijkbaar had de vereniging onder impuls van Miranda iets ingeoefend, want nadat enkele blikken werden uitgewisseld ging iedereen iets dichter bij elkaar aan staan en begon aan een kleine aria. Goetgebuur was even uit zijn lood geslagen. Eerst moest hij zich bedwingen om niet in tranen uit te barsten of nog harder te lachen, omdat het koor ook zonder hem zong en nog meer omdat er nu iemand anders tegen Miranda stond te schurken. Maar dan werd hij in zijn hart geraakt en begon hij ontroerd nog harder te lachen. Blijkbaar betuigde het heilige koor op zijn eigen manier zijn steun aan een verbannen lid. Blijkbaar wilde het koor de lach, de boosdoener, de duivel zelf het zwijgen opleggen door uit te barsten in een volstrekt, werkelijk fantastisch muzikaal stukje. Elk lid van het koor voelde de helende kracht van het gezang en met vochtige ogen keken ze elkaar aan.

Het deed Goetgebuur onmiddellijk denken aan het klassieke orkestrale werk *Jesus' blood never failed me yet* van Gavin Bryars, zijn lievelingsstuk. In dat stuk werd een toevallige oude audio-opname van een clochard die een folksong binnensmonds murmelt in *loop*vorm gebruikt als *underscore* voor een steeds sterker aanzwellende orkestratie. Zo zag Goetgebuur zijn eigen duivelse lach als de steeds weer terugkerende, repetitieve *underscore* die altijd wel aanwezig bleef in zijn vaste volume, maar die langzaam aan werd verdrongen door de vastberadenheid van het aanzwellende koor. In zekere zin kon hij hieruit misschien een levensles trekken en ervan uitgaan dat de aanzwellende orkestratie symbool stond voor de toenemende levenskracht.

Hij vertelde het zelf tegen de leden van de vereniging. Tegen zoveel schoonheid kon de lach niet op en het mag misschien vreemd klinken, maar het was alsof Goetgebuur zelf binnenin zijn keel en borst iets voelde steken. Het was een pijn die voor het eerst niet als een pijn maar als een zalvende opluchting werd ervaren. De lach werd verdrongen.

Toen het hele huzarenstukje een ingetogen climax bereikte en uiteindelijk met een kleine handbeweging van Miranda werd besloten, bleef alleen de lach nog over, en zelfs dat was een ontroerend moment. Dat was een van de zaken die Goetgebuur – en hem alleen – begon op te vallen: de verschillende gedaanten en betekenissen die de lach aannam. Alleen hij voelde binnenin de minimale schakering die voor interpretatie vatbaar was. Nu eens was de lach een blijk van herkenning, van dankbaarheid, van woede, van genegenheid, van onwetendheid, van zenuwachtigheid. Goetgebuur was zijn situatie al zozeer gewend dat hij de lach als het ware een beetje kon manipuleren.

Toen de leden vertrokken, was het donker en was het weer gaan sneeuwen. Miranda was achtergebleven, voor een deel uit plichtsbesef, voor een deel omdat ze voelde, zo zei ze, dat de repetities zonder hem niet meer hetzelfde waren. Was er dan toch meer aan de hand wat haar betrof? Nog meer voelde Goetgebuur zich heropleven, want nog meer dan het liefdesspel zelf, puurde hij vreugde uit het voortdurende giswerk dat bij het spel hoorde. Als een schooljongen kon hij nu zijn tijd vullen met veronderstellingen en waanbeelden. Wat betekende die blik daarnet? Wat bedoelde ze met die twee woorden? Het was balanceren op een dun touw en soms maakte zijn hart een vreugdesprongetje om dan nadien weer helemaal in elkaar te krimpen. Maar dat was net de essentie van de verliefdheid, zei hij tegen zichzelf, en hij wist gewoon dat mocht Miranda op een dag werkelijk haar liefde tegenover hem betuigen, hij in zekere zin ontgoocheld zou zijn. Omdat het mysterie, de onzekerheid, het gissen en het spel dan waren verdwenen.

Ondertussen dacht Goetgebuur verder na over zijn tweestrijd. Misschien is dit alles wel voorbestemd. Aline, die niet komt opdagen. Miranda, die haar plaats komt innemen.

Goetgebuur had zich vaker dan vaak verzet tegen het idee om Miranda zijn *soulmate* te noemen. Ten eerste had hij het niet zo voor dat woord. Het klonk vies. Maar ten tweede had hij altijd de indruk – hoe lief en teder en goed Miranda ook was voor hem – dat ze een trapje lager stond dan Aline. Alleen al puur uiterlijk had Aline een streepje voor. Aline was en zou altijd een koket dametje blijven, op en top verzorgd, en waar je op elk moment mee naar buiten kon komen. Ze was het schoolvoorbeeld van de stralende vrouw met fijne benen en opgestoken haar, scherp afgelijnde trekken en sympathieke rimpeltjes onder de ogen. Nooit – maar dan ook nooit – ging ze uit zonder hakschoenen, met of zonder panty's. En hoewel Goetgebuur met de jaren dat loodzware, zwoele parfum van haar moeilijker kon verdragen, was het niet meer en niet minder dan zijn levensadem geworden, iets wat hij nodig had om te overleven.

Miranda was een ander paar mouwen. Zij stond niet alleen qua uiterlijk, maar ook qua stijl, klasse, scherpzinnigheid, intelligentie en sociaal leven ver achterop. Maar dat was tegelijk ook dé reden waarom Goetgebuur zo'n zwak voor haar had. Aline was in zekere zin te perfect, te volmaakt en te klassevol voor hem, en hij had al die jaren in een soort cocon geleefd waar hij als het ware nooit te hard met de deuren mocht slaan, nooit te hard mocht boeren, nooit hardop scheten mocht laten en nooit te hard de liefde mocht bedrijven. Bij Miranda waren er geen grenzen en als er al grenzen waren, dan werden die gesteld door Goetgebuur zelf en niet door haar. Miranda leefde van dag tot dag. Dat was nog zoiets wat Goetgebuur wel beviel: het complete gebrek aan ambitie. Het kon bijna niet anders dan dat hij bij Miranda zo goed in de markt lag omdat hij haar saaie leventje wist op te vrolijken. Door zijn leeftijd zag hij het als zijn enige ambitie in hun relatie om haar te laten afzien van enige ambitie. Wel, daar was hij nu wel cum laude in geslaagd.

Nadat ze nog wat woorden wisselden, nam Miranda afscheid, als een vriendin, en hoopte Goetgebuur vurig dat ze bij het verlaten van het ziekenhuis niet langer aan hem zou denken en iemand zou opbellen om diezelfde avond nog mee uit te gaan. Hij trok de deken tot over zijn kin en lachte luid, luider, luidst, omdat hij deze hele situatie niet meer de baas was.

De tests waren het ergste. Ze waren zo afschuwelijk en gruwelijk dat Goetgebuur ze na al die keren steeds erger begon te vinden. Om de vier uur werd hij (de eerste twee dagen nog in een speciale onderzoekskamer, daarna in zijn eigen kamer) aan de hartmonitor gelegd. Hij werd versierd met een vracht elektroden die als een kerstboomverlichting zijn borstkas omwentelden. Vreemd, maar ook dit had hij al eens gezien, hoewel hij altijd had gedacht dat hij aan een of andere nierziekte ten onder zou gaan. Terwijl de elektroden hun werk deden en de pulsen van het hart en de bloedvaten naar de monitor stuurden, waar de wervelende heuvels steeds dichter bij elkaar kropen, praatte de specialist, dokter Weemoedt, kalmpjes in op Goetgebuur om het ritme niet al te veel te verstoren. Zijn hart in ruststand was door de lachkramp met meer dan dertig eenheden toegenomen. De ene keer lag het tussen de honderd twintig en de honderd veertig, de andere keer iets hoger.

'Niets om ons druk over te maken, mijnheer Goetgebuur', zei de specialist die de stand op de monitor in de gaten hield. 'Maar we moeten het dringend even hebben over de vermoeidheid die deze lach op uw lichaam achterlaat. Daar hebben we het tot nu toe nog niet over gehad, maar ik denk dat dit het gepaste moment is. De initiële verrassing en de daarop volgende berusting hebben de zaak wat afgeleid, maar het is een feit dat het zeer verwonderlijk is dat uw lichaam deze onuitputtelijke lach kan blijven volhouden. Volgens onze berekeningen zouden uw stembanden, uw huig en zelfs uw longinhoud allang aan kracht moeten hebben ingeboet. Maar klaarblijkelijk zijn we verkeerd en beschikt u over een uitzonderlijke conditie en meer bepaald een uitzonderlijk uithoudingsvermogen.'

Dokter Weemoedt maakte de zaken nog erger en onderzocht Goetgebuur nu ook met eigen middelen in de mondholte en de keel.

'Ik zie dat uw keelholte en vooral uw huig al ernstig is ontstoken. Wij hebben ook een nauwkeurige meting van het aantal decibels van de lach gemeten en we hebben een aanzienlijke reden om te vermoeden dat de lach een heser en schrapender karakter heeft gekregen. Hoe gaat het anders om te slapen, mijnheer Goetgebuur? Werken de pillen goed? Ik heb ergens een notitie van u gelezen dat het vooral moeilijk is om in te slapen. Dat kan ik me voorstellen. En toch kan ik u enkel aanraden om zoveel mogelijk te rusten, mijnheer Goetgebuur. Rust is tot nog toe nog altijd de enige remedie die we kennen.'

Wat een geluk voor dokter Weemoedt dat Goetgebuur zich enkel nog kon uitdrukken aan de hand van een langgerekte, oneindige lach. Anders had hij dat stuk specialist meteen duidelijk gemaakt dat hij slechts een buitenstaander was die de boom in kon met zijn rust als remedie. Het was zelfs zo erg dat hij geen vast voedsel meer kon binnenkrijgen. Hij werd als een hulpeloze baby of een comapatiënt gevoed door vocht in infusen.

Ik zie hier af, vloekte Goetgebuur binnensmonds, ik zie hier af en een stuk onbenul komt me vertellen dat ik moet rusten! Welnu, dokter, denkt u soms dat ik nog niet voldoende zou zijn uitgerust als ik dat zou willen? Denkt u soms dat ik voor mijn plezier de maten en de intervallen in mijn lach zo hard bestudeer totdat ik ervan in slaap val?

'Het goeie nieuws', ging dokter Weemoedt verder, 'lijkt hier volkomen bij aan te sluiten. Doordat de lach een soort van plafond heeft bereikt en uw stembanden en longen nog langer weigeren mee te werken, lijkt de situatie – en dit is nog maar louter een gok – gestagneerd. De situatie is niet langer in variabele, wisselende toestand, wat wil zeggen dat u eerder stabiel bent en eigenlijk over de kritische toestand heen bent.'

Op de zesde dag van Arthur Goetgebuurs verblijf in het ziekenhuis kwamen de cameraploegen, de mediamensen, de journalisten van het ochtend-, middag- en avondjournaal. Ze verschenen uit het niets en een beetje op commando, alsof ze zich in de bosjes hadden verstopt en nu pas mochten te voorschijn komen. Ze kampeerden voor de ingang van het ziekenhuis met hun containers en trucks en begonnen de PR-vrouw van het universitaire ziekenhuis op de rooster te leggen. Er viel een duidelijk onderscheid te maken tussen de verslaggevers van de openbare omroep en die van de vrije omroepen. De eersten hadden nog een legitieme, traditionele opvoeding genoten en spraken met twee woorden maar hadden jammer genoeg een nogal oubollige en oninteressante manier van verslaggeven. De tweede groep was veel brutaler en gedroeg zich als een verwend rijkeluiskind dat met een dik loon rond ieders oren sloeg maar dan weer te onervaren en te onstuimig was om er effectief een objectief oordeel van te maken. De hele show stond letterlijk en figuurlijk ver van het bed van Arthur Goetgebuur.

Niemand had hem op de hoogte gebracht van de drukke mediabelangstelling die vrij abrupt was uitgebroken. Maar zo ging dat altijd. Mediabelangstelling kwam altijd uit de lucht vallen, net als andere rampen, zoals vliegtuigcrashes en vulkaanuitbarstingen. Een halve dag na de basisbelegering aan de voet van de vijfentwintig verdiepingen hoge vleugel, was er dan toch één mediawatcher tot net voor de kamerdeur van Goetgebuur geslopen. Hoe hij erin geslaagd was, is tot op vandaag nog altijd niet bekend, al kan het niet anders dan dat hij zijn infiltranten binnenshuis had.

Het was een oude veteraan met lepe truken die – omdat hij alle vijvertjes van zowat alle zenders had doorzwommen – de zwakke plekken kende van zijn tegenstanders. Nu werkte hij voor een duidingsprogramma dat elke weekdag na het avondjournaal stond geprogrammeerd.

Goetgebuur werd uit zijn ondiepe slaap gewekt. Het was uitgesloten om 's ochtends uit te slapen doordat die verrekte verpleegsters het per se nodig vonden om klokslag zes uur al zijn lakens te komen verversen, zijn temperatuur te komen opmeten en zijn plasbak te verversen. Zes uur! Het was nog niet eens licht om zes uur en hoeveel keer had hij ze al niet gezegd dat hij met de beste wil van de wereld nooit voor zes uur plaste. Zeker niet voor halfacht. Maar luisteren wilden ze geenszins.

'Iedereen is gelijk voor de wet, mijnheer Goetgebuur. Zelfs u. U verwacht toch niet dat we uitzonderingen kunnen maken? Wij maken geen uitzonderingen, zelfs niet voor een geval als u. U mag hier nog dertien jaar liggen vergaan van het lachen, wij komen ook bij u, net als bij iedereen, om zes uur.'

Om die hardnekkige reden werd Goetgebuur op de duur zelf wakker rond kwart voor zes. Zijn onderbewustzijn hield hem wakker, alsof elk moment zijn laatste kon zijn. Het had ook zijn positieve kanten. Door de lach te abstraheren, genoot Goetgebuur van het moment waarop hij als eerste wakker werd. Het was bijna een privilege. Alsof hij een wezen was dat boven de rest van de huisgenoten uitstak en niemand verantwoording hoefde af te leggen. Op zulke momenten keek hij vanuit zijn bed naar de lichtschakeringen op de kale muren, het opkomen van de winterzon, het trillen van de takken, de rook die uit de schoorsteen van het ziekenhuisrestaurant kwam dat op de bovenste verdieping lag. De belevenis van de dageraad hoorde er gewoon bij, ook al had hij er zelf weinig aan. Het banale karakter van een vliegtuig dat in de lucht passeerde, duwde hem nog meer in de hoek. Maar daarna zette hij zijn zinnen op een vaste slaap, na het ontwaken en voor het bezoek van de dokter. En net in die slaap werd Goetgebuur brutaal overvallen.

De reporter en zijn kompaan glipten binnen en stonden in een mum van tijd aan het uiteinde van zijn bed. Goetgebuur kon niet anders dan recht in de lens kijken. Als allergische reactie werd zijn stuiplach nog krampachtiger, maar dat was net wat zijn bezoekers kwamen zoeken.

'Heb je dat?' vroeg de reporter aan zijn kompaan die wel een heel professionele paparazzo moest zijn als hij het katholieke ziekenhuis kon binnendringen met een camera. Toegegeven, het was een klein pocketmodel, een DV-Cam Pro, waarmee men vanuit de hand en de losse pols zowat elke beweging van een fruitvlieg haarscherp kon volgen.

Terwijl Goetgebuur zich trachtte af te vragen hoe dit gezelschap zomaar zijn kamer kon binnendringen, stelde de reporter zijn eerste vraag. Maar Goetgebuur antwoordde niet. Tot zijn eigen verbazing had hij een soort arrogant meerderwaardigheidscomplex ontwikkeld dat nu pas, door de media-aandacht, aan de oppervlakte kwam drijven. Met welk recht kwam dit gepeupel de kamer van Arthur Goetgebuur belegeren? Werd zijn kamer dan niet speciaal bewaakt? Dat kon toch bijna niet anders. Iedereen wist dat dit ooit zou gebeuren. De media zitten niet stil, zij ruiken zoiets. Goetgebuur reageerde niet zoals hij zich een week geleden zag reageren. Hij wilde ooit weleens met zijn hoofd op een televisiescherm verschijnen, al was het niet om het even waarom. Het moest een waardige verschijning worden, in de vorm van een diepgaand interview of een analytische reactie. Maar nu voelde hij zich behaaglijk in zijn rol van ster die het beneden zijn waardigheid vond te antwoorden op de vraag van een riooljournalist. Ze hadden zelfs niet de moeite genomen om hun besneeuwde schoenen schoon te vegen.

'Mijnheer Goetgebuur. Van de vrije zender TV 3. Heeft u een idee hoe deze lach u zo heeft kunnen overmeesteren? Welke voorzorgsmaatregelen nemen de dokters? Lacht u werkelijk de hele dag en nacht door? Is het besmettelijk?'

Gelukkig voor de onwetende reporter werden zijn vragen voor Goetgebuur verstaanbaar door het gebruik van een micro. Eenmaal gewend aan het cameraatje dat een beschrijvende kronkel maakte langs zijn bed, vertrekkend van zijn voeten en eindigend bij zijn lippen, kwam Goetgebuur tot bezinning. Zijn duim trilde boven het knopje om de verpleegster te roepen, maar schoot uiteindelijk toch niet in actie.

Het is tijd om het op de wereld los te laten, dacht hij vrij genereus. Het wordt tijd dat de mensen mijn lijden zien. Ik vraag me af of mensen die geïnterviewd worden daarvoor een forfaitair bedrag krijgen. Natuurlijk word ik, puur technisch gezien, niet geïnterviewd. Ik word enkel in beeld gebracht.

Alsof er zichtbaar niets aan de hand was, bleef Arthur wezenloos liggen terwijl de reporter zijn reportage maakte. Hij liet in alle wijsheid de beelden voor zich spreken en legde de nadruk op de verschillende invalshoeken waarmee de lach in beeld werd gebracht. Er werden vakkundige *inserts* gemaakt, snelle close-ups van zijn gezicht, zijn mond, zijn tanden en ten slotte ook zijn gehemelte. Er werd in- en uitgezoomd én er werden voldoende zogenaamde reactieshots genomen om het item te stofferen: een blik op de weinige cadeaus, een frontale kijk op de deur van de ziekenhuiskamer, een blik uit het raam over de bevroren zwarte vijver en de diepgroene grasveldjes. Hier was een professioneel fotograaf aan het werk, dacht Goetgebuur.

'Dit is prachtig!' riep de reporter op de duur boven de lach uit. 'Dit is niet alleen een primeur. Dit hoort thuis in het jaaroverzicht, wat zeg ik, het eeuwoverzicht. Dit hoort thuis in het rijtje "de eerste man op de maan", "de moord op Kennedy", "de crash op de WTC-torens". Dat zal ze leren om me van de nieuwsdienst te halen en me in de redactie van een onbeduidend duidingsmagazine te steken! Ik ben een nieuwsjongen *pur sang*. Dat ben ik. Hierna zullen ze weer heel snel aan mijn mouw komen trekken.'

Het zou onredelijk zijn te zeggen dat Goetgebuur zich schuldig voelde door deze plotse roem. Maar dat hij zich wat onwennig voelde, dat stond vast. Het was altijd al een statement van hem geweest om de goddeloze gezichten zonder naam die om de haverklap op de televisie verschijnen te veroordelen. De anonieme antitalenten die lukraak werden geboren in *reality soaps* in anonieme bunkers of op verre tropische eilanden. Goetgebuur was er altijd van overtuigd geweest dat een mens eerst iets moest kunnen om op de televisie te komen. Televisie.

Hij sprak het woord zelfs uit als de beste ouderwetse prediker voor een heilig altaar. De televisie. Goetgebuur was een kind van zijn generatie geweest en beschouwde nog altijd enigszins naïef het medium televisie als onbereikbaar en verheven. De televisie was voor diegenen die het volk iets konden bijbrengen. Een volgende vraag die in het verlengde ligt, diende zich vrijwel onmiddellijk aan: wat had Arthur Goetgebuur dat de mensen in de huiskamer iets kon bijbrengen?

Een stuiplach.

Meer had hij niet. Verraadde hij zichzelf en zijn nobele principes niet als hij zich te grabbel gooide? Het stond nu al vast dat Goetgebuur nooit meer met dezelfde blik naar een televisietoestel zou kunnen kijken. Hij had zelf het krachtige medium doorprikt als was het een gigantische zeepbel.

Toen de opnamen erop zaten en de intieme reportersploeg tevreden het gerief opborg, nam de reporter voor het eerst echt zelf de tijd om zijn onderwerp te analyseren. Hij bleef Goetgebuur nog een volle tien minuten aankijken, knikte en knikte en knikte. Het was het soort knik die je pleegt te maken wanneer je voelt dat alles juist zit. Daarna namen ze professioneel afscheid van elkaar. Goetgebuur kreeg met de grootste moeite nog een afgelikt visitekaartje van de eenmansfirma *Vision Productions*, voor het geval er nog vragen waren of problemen zouden opduiken.

Achteraf bleef Goetgebuur opgelucht stilliggen. Het was een totaal losgeslagen gedachte, maar hij kon ze toch maar niet uit zijn hoofd krijgen: hadden ze de lach wel in zijn meest extreme vorm te pakken gekregen? Hij zou huiveren mocht straks in het journaal blijken dat de stuiplach maar matig overdonderend en origineel overkwam. Opeens sloeg een lichte schrik om Goetgebuurs hart dat de mensen voor de buis zich zouden afvragen wat er nu zo speciaal was aan die lachende man.

Het was maar moeilijk te geloven, maar een zekere vorm van plankenkoorts of faalangst had zijn intrede gedaan. Goetgebuur wilde de grootste indruk maken op televisie die een mens met een stuiplach kon maken. Hoe groot zou zijn ontgoocheling niet zijn indien binnen de twee weken iemand in een show zou opstaan die over een veel schrijnendere lach beschikte. Het was hetzelfde eeuwige wantrouwen dat opdook wanneer Goetgebuur een zeer geslaagde slogan ontwierp. Hoe grandioos die slogan ook was, Goetgebuur hield er altijd rekening mee dat er iemand in de buurt was die een betere variant kon schrijven.

Toen Goetgebuur zijn eerste slogan afleverde, sloeg die in als een bom. Hij maakte nooit nog een betere of zelfs iets dat maar in de buurt kwam. Het was het schrijnende verhaal van de man die veel te vroeg gepiekt had. *U en ik: wij samen* was goed voor drie prijzen. Er bestond ook een radioversie van. Toen Goetgebuur destijds thuiskwam, wilde hij zijn moeder verrassen. Hij stak de radio aan en wachtte tot de commercial te horen was. Tussen korte bumpers over magere yoghurt en goedkope vakantiebureaus vroeg zijn moeder zich hardop af waarom die vervloekte radio nu moest aanstaan. Hij legde het uit:

'Dit heb ik gemaakt. Het komt zo. Goed luisteren. Goed opletten. Hier komt-ie.'

'Hier komt wat?'

'Wacht even.'

'Waarop?'

'Jezus, het is al voorbij. We hebben het gemist.'

Allebei stonden ze naar de radio te kijken alsof ze vurig hoopten de tijd tien seconden terug te draaien. Zijn moeder ging verder met koken en kreeg een air over zich dat Goetgebuur waardeloos was en gefaald had. Het geheel klonk ineens gelogen. Goetgebuur kreeg het spotje uiteindelijk toch nog te pakken: in de metro, op een barbecue waar hij vroeg de radio luider te zetten en zelfs ergens op reis. Maar niemand was nog langer geïnteresseerd. Het verrassingseffect was verdwenen en van dan af zou het met de slogans alleen maar bergaf gaan.

Maar Goetgebuur voelde zich prima in zijn rol van bedenker van vijfwoordenzinnen. Geen haar op zijn hoofd dat er ooit aan dacht om terug te grijpen naar zijn ambitie om een echte schrijver te worden. Voor de reclamebusiness had hij dat als jongeman ooit geprobeerd, maar algauw had hij het gevoel gekregen dat het leven al zwaar genoeg was, ook zonder de zeven boeken die hij tegelijkertijd aan het schrijven was.

Goetgebuur had een idee-fixe opgebouwd rond de wetenschap dat elke schrijver vóór zijn vijfendertigste moest debuteren. Er bestonden natuurlijk uitzonderingen, maar die waren des te groter en hadden bewust een leven achter de rug waarover ze konden schrijven. Nu wist Goetgebuur dat zijn leven niet oninteressant was, maar dat de nodige gortigheid wel ontbrak. Eigenlijk viel er over zijn leven niet veel te schrijven, behalve dan misschien de pathetische drang om vóór je vijfendertigste een boek klaar te hebben.

De zeven boeken waar hij destijds aan werkte, waren een soort inhaalbeweging; één boek voor elk jaar dat hij achterliep, of in het slechtste geval: gewoon een van de zeven die zou worden afgewerkt. De zeven boeken waren even uiteenlopend in hun opzet als in hun uitwerking. De *shortlist* bestond uit een liefdesdrama tussen twee bezoekers in een bibliotheek, een absurdistische kafkaiaanse parabel over een man, N., die op een dag wakker wordt en merkt dat hij in een boek is veranderd, een eenakter over een schrijver met een *writer's block*, een naslagwerk over de geschiedenis van de Nobelprijswinnaars literatuur, een futuristische detectiveroman met als speurdersduo een androïde en een hagedismutant, een scheurkalender met literaire quotes en natuurlijk was er ook nog de onvermijdelijke autobiografie die op zich ook nog eens uiteenviel in een aantal 'subboeken' zoals dagboeken, gedichten, filosofische overpeinzingen en anekdotes. In een speciaal rooster hield hij de wekelijkse planning bij zodat de nodige afwisseling hand in hand ging met een gelijke tijdsindeling. Ondanks zijn drukke bezigheden was Goetgebuur nooit echt voldaan over zijn boeken. Ten eerste raakten ze natuurlijk niet af. Ten tweede wachtte hij heimelijk op een goddelijke ingeving van het Magistrale Idee, het gouden ei, het warme water. Maar dat idee kwam niet, en dus had hij de zeven boeken in wording op een dag verbrand in de achtertuin, waarna hij de as in een speciale urn goot en op zijn schoorsteen zette. Als herinnering om nooit, maar dan ook nooit meer aan een boek te denken.

Terwijl Goetgebuur in het ziekenhuis terugdacht aan het bezoek van de reportageploeg, schoot het hem te binnen dat de glimlach toch wel een meer dan geschikt onderwerp zou zijn voor een roman.

Zijn hart sloeg bijna tweemaal over. Zo gelukkig voelde hij zich, al wilde hij dit niet al te duidelijk laten merken. Zulke voorbarige momenten van extase waren ongepast, gezien zijn situatie. En waren niet alle ideeën trouwens subliem wanneer ze hem voor het eerst te binnen schoten? Het kon best zijn dat het idee om rond dit raadselachtige fenomeen een roman te schrijven de volgende dag banaal en ongeloofwaardig zou zijn. Eén zaak stond vast. De eerste regel in het schrijverschap – schrijf over wat je zelf het beste kent – werd gerespecteerd. Goetgebuur wist van zichzelf dat hij het altijd te ver zocht. Hij had nooit kunnen schrijven over een missionaris in Afrika, want hij had zelf nooit een stap op dat continent gezet. Evenmin had hij weinig gemeen met vrouwelijke rechercheurs of zelfs 'de gewone mens en zijn kleine gebreken'. Het viel Goetgebuur nu duidelijk in: het enige boek dat hij ooit met verve zou kunnen schrijven, moest en kon niet anders gaan dan over een compleet absurd gegeven zoals een glimlach, iets wat even ongrijpbaar was als zijn eigen bestaan.

Goetgebuur werd snel afgeleid. Het idee was er, maar de uitwerking mocht natuurlijk nog niet plaatsvinden. Het was gewoon te opportunistisch om er nu al aan te beginnen; het was hem zelf amper overkomen. Hij probeerde zijn gedachten op iets anders te richten en keek weer naar buiten. Maar de lucht bleef kaal en onbewolkt, de rook bleef uit de schoorsteen komen en alles bleef uit.

Na de sonde met zijn avondeten dat op grijs kraantjeswater leek, zag Goetgebuur zichzelf op de openbare omroep in het nieuws verschijnen. Hij zat ergens, ietwat onwennig, in een niemandsland tussen twee bloedserieuze items in: de politieke stakingen in het binnenland en de economische depressie in het buitenland. Hij werd voorafgegaan door de PR-vrouw van het ziekenhuis die heel zakelijk en correct antwoordde op de deskundige vragen van een reporter.

Hoe vreemd de zaken ook altijd kunnen lopen, dacht hij, de mensen reageren altijd nog vreemder.

Want wat kon er nu nog vreemder zijn dan Aline Goetgebuur die na al die tijd nog geen stap in zijn kamer had durven zetten? Goetgebuur kon niet anders dan besluiten dat ze haar werkethiek hoger in het vaandel droeg dan haar echtelijke, of zelfs menselijke plichten. Of was het iets anders? Het kon toch niet dat Aline in zekere zin jaloers was op de aandacht die hij kreeg? Neen, jaloezie was een verkeerd woord; het was veeleer een soort van ongepastheid. Hij ging ervan uit dat Aline hem beschuldigde, niet van aanstellerij, maar veeleer van een incident dat niet echt thuishoorde in haar culturele en familiale kring. Schaamte leek hem enigszins overdreven, al kwam het dicht in de buurt.

Tant pis.

Twee dagen later was Arthur Goetgebuur *hot news*. Hij zat op zoveel verschillende televisiekanalen dat het hem al snel begon te vervelen. Hij keek nog liever naar het interne ziekenhuiskanaal om te zien wat het dagmenu was of welke boeken er in de bibliotheek stonden. Hoe meer hij zichzelf immers bezig zag met dat stompzinnige lachen, des te groter werd zijn afkeer van zichzelf. Horen was één ding, zien was nog wat anders. Toen hij zichzelf een week geleden hoorde lachen door de hoofdtelefoon die dokter Weemoedt hem opzettelijk had opgezet, was Goetgebuur verrast. Ontdaan ook, maar de verrassing had toch nog de bovenhand genomen. Nu hij zichzelf ook in het netwerk van hevige pixels zag, meestal heel onscherp, in een totaal foute belichting en weinig flatterend doordat het allemaal zo snel moest gaan, begon hij pas echt een hekel aan zichzelf te krijgen. Meer nog, Goetgebuur begon zich onbewust als een andere persoon te zien. Hij trad uit zichzelf en zag zichzelf als 'de ander'. Dat was voor een deel te wijten aan het verkeerde profiel dat die cameramannen van hem gebruikten. Maar voor een deel kwam dat ook door de totale motorische aftakeling van zijn eigen lichaam. Sinds hij zijn huis had verlaten, had Goetgebuur niet meer oog in oog gestaan met een spiegel en het resultaat was ronduit afgrijselijk. Vermoeide, dode ogen zakten steeds dieper weg in de twee putten die ooit oogkassen waren en zijn jukbeenderen staken door de onophoudelijke lachspieren bijna zover uit dat ze er dreigden uit te scheuren. Op een gegeven moment snoerde Goetgebuur de televisie de mond. Hij was een monster geworden. Hij was een totaal ontredderde figuur – neen, figuur was nog een te vleiende omschrijving. Hij was een sidderende, spastische massa geworden.

Van toen af zonderde Goetgebuur zich af van de realiteit en zocht zijn toevlucht in andere dingen. Hij trachtte zijn eigen leven en ontspanning weer op te nemen in zoverre dat mogelijk was in een ziekenhuiskamer van vier bij vijf meter. Hij keek naar films met een loeiharde hoofdtelefoon op, luisterde naar zijn lievelingsstuk *Jesus' blood never failed me yet* met zijn loeiharde hoofdtelefoon op en viel in slaap met zijn persoonlijke loeiharde hoofdtelefoon op. Die hoofdtelefoon was een stuk van zijn lichaam geworden. Hij moest denken aan de Amerikaanse bergbeklimmer die kwam vast te zitten onder een rotsblok en zijn eigen hand moest amputeren om zich te bevrijden. Die man ging daarna door het leven met een prothese, en voelde zich herboren. Goetgebuur zag de hoofdtelefoon als zijn prothese, maar hij voelde zich allerminst herboren. Een arm of been verliezen was in geen geval te vergelijken met zijn aandoening. Hoe kon iemand een lach overwinnen, zonder te sterven? Goetgebuur voelde zich als een androïde met die hoofdtelefoon op, maar het werkte, want met de tijd hoorde hij zijn lach nog slechts als een vage herinnering.

In de derde week kwam Miranda langs met heuglijk nieuws.

'We hebben de uitvoering van de *Mattheuspassie* laten varen', riep ze boven de lach uit. 'De voorstelling is geschrapt. De voorzitter en ik hebben een nieuw idee. Het is ons eigenlijk zomaar uit het niets te binnen geschoten. Daarom wilde ik je even spreken, Arthur. Het betreft dat lievelingsstuk van jou. Dat stuk van Gavin Bryars...'

En zo deed Miranda haar geniale vondst uit de doeken. Ze schreef het hele idee op naam van het *partnership* tussen haar en de voorzitter, al kon Goetgebuur raden dat zij de drijvende motor achter het initiatief was geweest. Alleen Miranda kon op zo'n ontroerend, menselijk idee komen. Goetgebuur voelde zich ter plekke smelten in haar goede bedoelingen en haar eerbetoon aan zijn muzikale persoonlijkheid. De bedoeling was als volgt. Omdat Arthur Goetgebuur na zijn ernstig incident van jongstleden, waarbij een venijnige lach de bovenhand had genomen, niet meer in staat was om deel te nemen aan de repetities en de opvoeringen van het koor van de culturele vereniging, werd unaniem besloten hem op een meer passieve, maar daarom niet minder aanwezige manier te betrekken in het volgende stuk. Het volgende stuk, namelijk de opvoering van het modern-klassieke stuk *Jesus' blood never failed me yet*' van Gavin Bryars. Als enige variant op de originele versie werd de stem van de mompelende clochard vervangen door de hysterische lach van Arthur Goetgebuur, die langzaam aan werd overstemd door het harmonieuze koor.

'We hebben het allemaal goed uitgedokterd. We hebben de partituur op de kop weten te tikken. Het is een simpel, maar heel indringend stuk. Aangezien er enkel rechten bestaan op de tape van de clochard, kwamen we op het idee om jou in te schakelen. Bestaat er een mooier eerbetoon aan onze favoriete koorknaap?'

Alles was al geregeld, hij hoefde enkel in te stemmen. Eerst zouden ze natuurlijk het idee moeten uittesten, want voor hetzelfde geld was dit een mooi theoretisch gegeven maar sloeg het in de praktijk nergens op. Daarom zouden enkele *try-outs* worden georganiseerd in een akoestisch aanvaardbare ruimte om vervolgens een paar concerten vast te leggen. Of een hele tournee genoeg overlevingskansen had, viel af te wachten en was afhankelijk van de publieke opkomst en de belangstelling van de pers. Maar het was niet uitgesloten. Goetgebuur zou natuurlijk een vermelding krijgen bij de *hoofdcredits*, vlak na de componist en de dirigent van het stuk. Veel hoefde hij er trouwens niet voor te doen. De lach zou op band worden opgenomen.

Eindelijk had de lach, dat stuk venijn, een reden tot bestaan. Niemand zou het nog als een handicap zien en wie dat toch deed, kon niet anders dan Arthur Goetgebuur te omschrijven als een dappere figuur die van zijn gebrek een deugd had gemaakt.

Goetgebuur was overweldigd door het plan. Het was een surrealistisch plan, maar daarom paste het zo goed in het geheel. Meteen hield hij zich in om Miranda op de hoogte te brengen over zijn eigen plan om over de lach een roman te schrijven. Dat idee was lachwekkend. Het kon gewoon niet concurreren met dat van Miranda. Het idee van de roman was hopeloos ouderwets, achterhaald en pretentieus. Bovendien liet hij alles in de roman rond zichzelf draaien en getuigde een dergelijke aanpak van een grenzeloos narcisme. Neen, haar plan paste beter bij zijn persoon. Goetgebuur moest ondergaan en zich ten dienste stellen van anderen. Toch vond hij het jammer dat hij Miranda niet kon betrekken bij zijn eigen opzet. Ze zou ongetwijfeld een verdienstelijke redactrice zijn; heerlijk onwetend en aliterair. Maar ze zou doodeerlijk zijn en afgeven op datgene waar diende te worden op afgegeven.

Toen Miranda verdwenen was, zag Goetgebuur de lach niet langer als een vijand maar als een kompaan. Een kompaan waarmee samen te werken viel, zonder de noodzaak om vrienden te worden.

Goetgebuur analyseerde de opties om met zijn stuiplach creatief naar buiten te komen. Hij had altijd wel al de roeping gehad om als semi-kunstenaar door het leven te gaan. Hij was zoals zovelen een halftalent: net niet getalenteerd genoeg om er zijn beroep van te maken en erin uit te blinken, maar ook net niet ongetalenteerd genoeg om de gave te laten varen. Wat die gave precies was, daar was Goetgebuur nooit echt achter gekomen. De literatuur, dat had hij al eens geprobeerd. Blijkbaar had zijn gave zich uitgepuurd tot de kunst van het lachen. Soms heb je je hele leven de indruk dat er na een bepaalde tijd iets speciaals zal gebeuren. Soms heb je de indruk dat dat speciale iets nooit zal gebeuren. Dat was altijd al de leuze geweest van Arthur Goetgebuur. Een hypochonder – in zijn geval een hyper-hypochonder – maakt zijn leven ondraaglijk anti-ambitieus door duistere gedachten, die verdere plannen voorgoed overbodig maken. Op de duur is de hypochonder bezorgd omdat hij in volle griepepidemie de enige is die gezond blijft. Alsof dat een teken op zich is dat er iets niet in orde is.

Nu kreeg Goetgebuur het gevoel dat hij met zijn deelname aan de opvoering van het muziekstuk toch nog op de valreep zijn speciaal moment kon meepikken. Misschien waren zijn hersenen door het veelvuldig schudden al danig aan het aftakelen, maar Goetgebuur was er in bescheiden mate van overtuigd dat deze rol hem wel eens onsterfelijk (binnen dit taalgebied dan toch) zou kunnen maken.

Die nacht sliep Arthur Goetgebuur voor het eerst in lange tijd diep en aangenaam, waarbij de lach hem bijna koude rillingen van plezier bezorgde.

In de volgende dagen kreeg Goetgebuurs agenda de allures van die van een bekende figuur. Zijn kamer in het ziekenhuis werd een soort productiekantoor waarbij één verpleegster zijn lichaam verzorgde en een andere als een privésecretaresse permanent instond voor telefonische afspraken, het openen van de post en de afhandeling van contracten. Hij ontving hoog bezoek, van ambassadeurs tot ministers, waarvan er één zelf bijna een nog meer gemaakte lach om zijn lippen had dan Goetgebuur. Er kwamen interessante aanbiedingen binnen voor een *biopic* (waarbij onder meer de naam David Lynch ter sprake kwam), een oneindige reeks aanvragen voor frivole optredens tijdens huwelijksfeesten, personeelsfeesten en modeshows. De keuze die Goetgebuur gedwongen werd te maken, was simpel: geld of roem. Beide opties vielen, gezien de deadline en de steeds achteruitgaande gezondheid, niet meer te combineren. Of hij koos voor een vracht aan lucratieve aanbiedingen en legde een mooi spaarpotje aan, of hij koos voor één enkele krachtmeting waarin zijn hele zijn en kunnen vervat lagen en dat zijn hele bestaan zou rechtvaardigen.

Door de afwezigheid van Aline liet Goetgebuur zich veeleer verleiden door de laatste optie. Het spaarpotje had in de gegeven omstandigheden geen enkele betekenis meer. Goetgebuur vond geen enkele waardige erfgenaam nu Aline uit beeld was verdwenen. Dus kon hij zichzelf beter ontpoppen tot een onsterfelijke ster.

In het zog van de zakelijke beslommeringen kreeg hij te maken met de negatieve kant van het succes. Er staken vormen van plagiaat de kop op. Een paar kranten en vooral radiostations meldden het bestaan van soortgelijke lachbuien. Deze vaststelling dreef Goetgebuur tot een drastische beslissing. Het klonk misschien wat bombastisch en hoogdravend en misschien ook wel een tikkeltje absurd, maar absurd was dan ook wel het kernwoord van dit hele verhaal.

Goetgebuur nam zo snel mogelijk een patent op zijn lach. Hij nam contact op met de voornaamste auteursvereniging van het land en liet zijn lach registreren en opnemen in het register. Om lid te worden van de auteursvereniging moest Goetgebuur wel een bijdrage betalen, maar dat had hij er graag voor over. Ook bij de opname van het muziekstuk werd het begrip *copyright* naadloos aan de naam Arthur Goetgebuur gekoppeld.

Om zijn geest wat tot bedaren te brengen, besloot Goetgebuur om zich, naar aanleiding van zijn levensapotheose in de vorm van het concert, te ontplooien tot dienaar van het ziekenhuis: eenmaal per week stelde hij zich ten dienste van de kankerpatiëntjes. Hij communiceerde voortaan via een oude tikmachine, een Olivetti van een degelijk jaar, zodat hij toch vrij snel de wereld rondom zich kon 'beantwoorden'. Hij had even aan een laptop gedacht, maar een tikmachine was een beter middel om van zijn spastische armbewegingen een deugd te maken. Soms ging het er zo hevig aan toe dat hij met zijn duim twee letters tegelijkertijd aansloeg maar wie daar graten in zag, was een muggenzifter.

Hoe dan ook, Goetgebuur had via zijn nieuwe spreekbuis de 'clichéclown' met de rode bolneus en de bolschoenen naar het stempellokaal verdreven en entertainde de kinderen. Ondertussen leerde Goetgebuur de partituur van *Jesus' blood never failed me yet* uit het hoofd. Dat was niet alleen moeilijk door de dreunende lach die hij in gedachten moest overstemmen, ook een simpele beweging als een driekwartsmaat slaan was uitgesloten. Toch leek hij klaar: hij verstond de kunst om te weten wanneer hij precies de lach een beetje in moest houden en wanneer hij zich kon laten gaan.

Op een avond was Goetgebuur zich een weg aan het zappen door de overvloed aan programma's. Onnodig om te zeggen dat hij tegen die tijd in een isolatiekamer zat om de andere patiënten slapeloze nachten te besparen. Ze hadden alle muren van zijn kamer beplakt met schuimrubber en piepschuim. Het was er zo professioneel afgesloten dat Brian Wilson er gerust zijn legendarische muziekalbum *Smile* kon opnemen. Goetgebuurs oogleden werden zwaar en geleidelijk werd hij als het ware opgeslorpt door de lach. Nog net kon hij een glimp opvangen van een Amerikaanse tekenfilmserie over een vierkoppige familie in een buitenwijk met een geel gezicht en groen haar. Het tekenfilmfiguurtje van *Mister Goodneighbor* leek op Goetgebuur. De gelijkenis was frappant. Ze hadden zelfs zijn stem nagebootst. De reden waarom hij werd opgevoerd in deze komische serie ontging hem eerst, maar daarna ontdekte hij een fictieverhaal dat bijna realistischer was dan de zenuwlach zelf.

Mister Goodneighbor werd namelijk op het Amerikaanse kabinet van Buitenlandse Zaken ontvangen om er de hoogste belangen te vertegenwoordigen. Bij zijn aankomst op Kennedy Airport werd hij opgewacht door een paar mannen in zwarte maatpakken en een dito zonnebril, gespecialiseerd in geheime codes en interventies. Die mannen spoorden in opdracht van de Amerikaanse overheid pornografen en UFO-meldingen op. Een van de maatpakken zei:

'We hebben overal onze mannetjes, *Mister Goodneighbor.* Laat mij beginnen met te stellen dat we met de beste bedoelingen komen. U kunt hierna nog altijd beslissen of u met ons in zee gaat of niet. We blijven even goede vrienden, ook als u me vriendelijk vraagt op te stappen of me naar de hel schreeuwt.'

De man zei het heel kalm, maar in de tekenfilmserie verscheen een droomballonnetje boven *Goodneighbors* hoofd. Achterdochtig door de ernstige bijklank zag hij zichzelf al op een ochtend uit het ziekenhuis stappen, en onder een metro geduwd worden door een paar spionnen van het Witte Huis. 'Om met de deur in huis te vallen. We willen een beroep doen op u, *Mister Goodneighbor.* We kunnen ons straks wel in de tegemoetkomingen en verdere transacties verdiepen, als u dat wenst. Verloning, premies en erkenning: we kunnen het allemaal op papier zetten. U weet wellicht dat onze agenten overal ter wereld zitten. Het zijn uw buurmannen, uw collega's, de leden van uw club. Ik ben hun spreekbuis, *Mister Goodneighbor*, maar als u ooit beweert dat u hier met mij stond te praten, dan zal ik dat weerleggen. Ik zal verklaren dat u het mis heeft of iemand anders bedoelt. Maar nu we recht tegenover elkaar staan, spreek ik dus in hun naam, en in de naam van de president van de Verenigde Staten, wanneer ik u vraag of u interesse heeft om naar het Midden-Oosten af te reizen in een ultieme poging om het conflict tussen Palestina en Israël op te lossen.'

Het gele ventje dat Goetgebuur moest voorstellen, bleef er maar op los bulderen. De echte Goetgebuur werd er nog depressiever van. De gedachte dat zijn eigen realiteit werd omgezet in een volkomen fictiewereld maakte hem week. Het ergste was dat hij in wezen liever dat tekenfilmfiguurtje was dan zichzelf. Intussen legde de woordvoerder van de geheime dienst, die zich voorstelde als ene Barabas, de zaak verder uit:

'Ik weet niet of u nog bij machte bent het nieuws op de voet te volgen, *Mister Goodneighbor*. Maar het gaat slecht in het Midden-Oosten. Barslecht. Het is een oorlog die al honderden jaren woedt, maar hij heeft nu een hoogtepunt bereikt. We hebben onlangs een moeizame en tevergeefse top belegd, met de drie voornaamste partijen: de joden, de Palestijnen en de Amerikanen. Wel, het heeft niets opgeleverd. De sfeer is gespannen, iedereen lust elkaar rauw. Wat we nodig hebben, is iets als een vredeslied. Als u dat wilt, *Mister Goodneighbor*, dan staat er deze avond nog een jet klaar die u naar een exclusief hotel in Bethlehem brengt. U wordt streng bewaakt, hoewel ik niet meteen veel gevaren zie voor een man die zich te pletter lacht. U krijgt de kans de meest vooraanstaande, machtigste personen van de wereld te ontmoeten. En te helpen. Zie het als uw plicht. Zie het als een symbolische daad. Heeft Ghandi twee keer nagedacht voor hij in hongerstaking ging? Heeft Martin Luther King ook maar één moment geaarzeld voor hij zijn speech gaf? Het is uw plicht als burger. Momenteel geloven we in alles. Zelfs in de remedie van een simpele stuiplach.'

De jet die in de tekenfilm ter beschikking werd gesteld had een bubbelbad, een videospeler en een eigen bar. *Goodneighbor* kreeg een Campari Orange toen ze over het Oostblok en het Koude Front van Rusland vlogen. Hij kon weer vrij ademen, hoewel de piloot van de jet toch af en toe waarschuwde de lach in te houden uit vrees voor luchtzakken.

Acht uur later werd het schaterlachende figuurtje ontboden op het koninklijke paleis in de Gazastrook. De drie vlaggen maakten het geluid van koerende duiven. De zwarte limousine parkeerde maar even voor de ingang. De ruimte waar hij moest 'presteren', waar hij, als een echte vaderlandslievende Amerikaan zijn plicht deed en de wereld moest redden van gruwelijke bomaanslagen, tankinvasies en onschuldige kinderslachtoffers, had een ovale tafel met vier flessen spuitwater en vier flessen mineraalwater. Aan de muur hingen landschappen van het vroegere Israël uit 1948. *Goodneighbor* werd er internationaal onthaald als een soort van dokter Strangelove. Sommige regeringsleiders waren op hun hoede en reageerden achterdochtig, andere mannen schudden hem hartelijk de hand en begonnen spontaan mee te lachen.

Yasser Arafat, de zieke rebellenleider die een eigen land wilde voor zijn Palestijnse volk, leek in de tekenfilmversie nog het meest op een jolige gabber. Zijn kleine ogen fonkelden en als blijk van groet en waardering haalde hij zijn befaamde sjaal van zijn hoofd en gaf die aan *Goodneighbor* die er zijn neus in snoot. De Amerikaanse jongens waren er het eerst bij om hardop mee te lachen, al klonk het bij de meesten *fake*. De Israëlische premier Sharon, ten slotte, was het moeilijkst te vermurwen. Hij kreeg op eigen grondgebied, in zijn eigen paleis, een moderne nar op bezoek. Maar was het wel een nar? Was het geen zelfmoordenaar die opeens zou ophouden met lachen en een bom op zijn rug zou laten exploderen?

'Mijne heren, zullen we verdergaan met het tweede deel van de besprekingen die op het programma staan?' begon de jood. 'Gisteren zijn we geen stap verder gekomen. We kunnen de tijd dus nuttig gebruiken. Ik stel voor dat we beginnen met de indeling van de bezette gebieden in de Gazastrook.'

Er werden officiële documenten geschud. Er werd gekucht, tegen een microfoon getikt. Maar het enige wat werkelijk te horen was, was de lach van *Mister Goodneigbor*. Weldra werkte die zo aanstekelijk dat president Bush begon mee te lachen, bijgestaan door Arafat en ten slotte ook door de Israëlische premier. Na dik tien minuten lachen rolden de tranen over hun wangen en namen ze een pauze. Ze kregen water en spoelden hun kelen. Toen ze wilden overgaan tot de indeling van de bezette gebieden of veeleer de terugtrekking eruit (vooral het zuidoosten van de Gazastrook), verloren ze zichzelf weer in de lach. Aan het einde van de middag schraapte de Israëlische premier zijn stem en zei laconiek:

'Heren, als het voor u hetzelfde is, zullen we het hierbij laten. Mijnheer Arafat, ik veroordeel nog altijd uw activiteiten en uw steun aan het terrorisme, maar door de gegeven omstandigheden zal ik onze troepen bevelen zich terug te trekken uit de bezette gebieden.'

'Allah zij groot', antwoordde Arafat nog altijd lachend. 'Als dank zullen wij onze handen aftrekken van alle mogelijke organisaties die iets met terreur te maken hebben. Hamas, Hezbollah. Ze bestaan niet meer voor ons.'

'Schitterend!' riep Bush uit. 'Ik wist wel dat we tot een overeenkomst konden komen. *Remember: don't take life too seriously because you can't come out of it alive!*'

Toen stapte de Israëlische premier op het balkon om het blijde nieuws te verkondigen. Prompt weerklonken vier schoten en drie seconden later lag hij dood op het balkon.

De echte Goetgebuur zette het televisietoestel uit. Was de werkelijkheid maar net zo frivool en luchtig als een onnozele, grappige tekenfilmserie, wilde hij bedenken. Maar toen hij besefte dat hij de werkelijkheid oversteeg en zelfs de tekenfilmversie menselijker en geloofwaardiger overkwam dan zijn eigen belabberde versie, wist hij niet meer wat hij ervan moest denken. Hoe meer hij zijn verstand probeerde uit te schakelen, hoe ongeduriger hij werd. Hij gleed ten slotte in een koortsige droom. Hij zweefde uit de ziekenhuiskamer en liep op straat, opgejaagd en in paniek, niet wetende waarom. In zijn droom was hij genezen van de lachkramp, maar stapte hij niettemin haastig en achterdochtig door de straten van de grootstad. Onderweg kwam hij mensen, dieren en dingen tegen die hij moeilijk kon vatten. Het aanschijn van de wereld die hij kende, was veranderd. Hij probeerde de dingen te doorgronden en nam zijn tijd om ze te herontdekken. Af en toe bleef hij even dralen bij een koppel dat bij een verkeerslicht elkaar in de armen nam. Hij zag de jongen en het meisje naar elkaar glimlachen, een jeugdige, onschuldige blijk van verliefdheid die hij niet wilde verstoren, ook al wist hij dat dit soort geluk moest worden verstoord omdat het toch nooit kon blijven duren. Hij liep verder en ging op een terrasje van een café zitten, onder een zeil waarvan de regendruppels naar beneden vielen. Van daar bestudeerde hij als een schrijver de buitenwereld. Er kwam een accordeonist spelen die achteraf glimlachend met zijn pet rondging. Goetgebuur zag zichzelf in zijn broekzak grabbelen en twee muntjes geven. Verbaasd omdat hij niet wist waarom hij zo op zijn hoede moest zijn, keek hij om zich heen. De kelner telde zijn kleingeld en hield ondertussen een mooie blondine in de gaten, die aan een tafeltje een pocket zat te lezen. De hele droom waarvan hij wist dat het een droom was, leek wel een stilleven. Een schilderij met kartonnen silhouetten en uitsnedes van personages, die hijzelf naar keuze kon verplaatsen. Het verbazingwekkende was dat de droom levendiger was dan zijn echte leven ooit was geweest. In de droom had hij de tijd om de dingen in detail te observeren en te analyseren. De wijze waarop de blondine bijvoorbeeld de bladzijden van haar pocket omsloeg! Het contact van haar zwarte lederen handschoenen met het oude papier was nooit zo grijpbaar geweest in zijn echte leven. Of het klapperen van het zeil boven hem; zo duidelijk dat het speciaal voor zijn gehoor leek opgezet. Goetgebuur keek verder en zag de peuken tussen de terrasstoelen liggen en de duiven die met hun bek de uiteinden proefden, opnamen en weer uitspuwden. Zijn oog viel op een halfleeg glas thee waarvan het theezakje op de rand van het tafeltje lag, klaar om er elk moment vanaf te vallen. Hij wilde opstaan en het een tikje geven zodat het achter de rug was, want zo kon hij zich niet concentreren. Zonder er zelf naar op zoek te gaan, zag hij mensen glimlachen, terwijl ze met elkaar aan het praten waren. Er kwam een baasje met een hond voorbij, een soort kruising tussen een terriër en een labrador en even leek het zelfs alsof die hond, in een vluchtige beweging, naar hem lachte! Maar dat kon natuurlijk niet. Konden honden lachen? Misschien waren mensen wel niet in staat om ze te zien lachen. Ongedurig stond Goetgebuur op, zonder iets te bestellen. Hij liep verder de straten door en keek in een paar wagens. Een man belde met zijn mobieltje en lachte. Hoewel iedereen zich met zichzelf moeide en Goetgebuur niet meer was dan een mier tussen de grind van de kasseistenen, kon hij zich niet van de indruk ontdoen dat hij op de vlucht was. Hij moest zo snel mogelijk uit de ogen van de toeschouwers en voorbijgangers verdwijnen.

Toen hij iemand uit een telefooncel zag stappen die hem hoofdschuddend en glimlachend voorbijliep, wist hij waarvoor hij op de vlucht was. Hij had het voortdurende gevoel dat iedereen op straat kon blijven stilstaan om hem met de vinger te wijzen en uit te lachen. Net zoals die scène uit die SF-film waarin buitenaardse wezens in het lichaam van mensen kruipen en elkaar krijsend waarschuwen wanneer er zich nog een echte mens tussen de voortstrompelende massa bevindt. En alsof er een beloning kwam omdat hij de zaak doorhad, hoorde Goetgebuur opeens inderdaad een overweldigende bulderlach...

Met een luide schreeuw werd Goetgebuur wakker. Niemand lachte hem uit; hij was het zelf. Oef, hij lag nog steeds in zijn muffe ziekenhuiskamer. Wat een nachtmerrie! Hij luisterde aandachtig en hoorde de lach rustig verderkabbelen in zijn slaap. Er kwam een dokter binnengerend:

'Wat is er?'

'Niets. Een nachtmerrie.'

Ontgoocheld door de menselijke tekorten van de lachende spast, ging de dokter weer naar buiten: 'Ja, dat is normaal. Dat zijn de medicijnen die op uw hersenen beginnen in te werken.'

De drugs begonnen inderdaad op zijn brein in te werken. De volgende dagen werd het steeds erger, zo erg zelfs dat de clown Goetgebuur niet enkel een freak leek, maar dat ook de rest van de wereld iets van een circusgebeuren had. Goetgebuurs geest begon een eigen leven te leiden, als de eerste de beste junkie die in een eigen schimmenrijk vertoefde met vreemde namen als *Interzone X* of *Red Galaxy*. De dokters van het ziekenhuis werden steeds vaker dubieuze nepgeleerden die Herr Doktor von Stapelkrauzen werden genoemd. De medicijnen die voordien even irreëel waren in hun benamingen van Loperamidehydrochloride of Methylparahydroxybenzoaat, kregen nu meer kleur met Red Zebra of een doosje met twaalf Blauwe Nova-sterren.

Maar ook gewone mensen die Goetgebuurs kamer binnenkwamen, waren niet langer normaal. Zo zag hij op een bepaald moment zijn directeur van het reclamebureau, die hem moest 'laten gaan', als een grote orang-oetan met een hoge hoed op die nummers van Fred Astaire opvoerde. Een oude vriend werd een Chinese acrobaat die als een menselijke gigantische spin zijn act opvoerde en in een enorm web in de hoek van de kamer sprong. Een verpleegster droeg een lange, vierkante kozakkenbaard en reciteerde graag hermetische Duitse gedichten. Kortom, iedereen werd herleid tot een circusfiguur.

De week voor de definitieve repetitie van het optreden kreeg Goetgebuur in zijn kamer het bezoek van een vleesgeworden droom. Althans, Goetgebuur dacht dat het een zoveelste hallucinatie was. Het was zelfs bijna een meer bevredigende droom dan die waarin de lach verdwenen was.

Het was Aline. Of, zoals hij haar graag zag: als de fluwelen koorddanseres van het *Grootste Reizende Mega Circus der Waanzin* van Arthur Goetgebuur. Als een religieus hologram van Maria Magdalena stond ze opeens voor zijn bed. Goetgebuur ontwaakte net uit een onrustige slaap en één seconde lang bleef de lach stikken in zijn eigen verwondering. De tijd stond stil. Goetgebuur had geen besef meer of het nu ochtend of avond was en Aline zelf was ook al geen grote hulp. Zij zag er even tijdloos uit als de lach zelf. Het zou natuurlijk van grote onbeleefdheid en gebrek aan respect getuigen mocht ze, achter de sluier van haar functie als hoofdverpleegster, zomaar eventjes na haar uren zijn binnengesprongen om alles goed te maken. Dat zou totaal ongepast zijn. Het was ook totaal ongepast om hem de ogen te komen uitsteken met haar blakende gezondheid en haar ronduit verpulverende warmte. Aline Goetgebuur had altijd al uitgeblonken in een oogverblindende rentree. Haar uitstraling was elke dag fantastisch, maar werd om de een of andere reden na langdurige afwezigheid nog meer opgeblonken, als een parel die jarenlang in een oester zat verborgen.

Dit was zo'n moment waarop woorden overbodig waren. Een moment ook waarop een bulderlach overbodig was. Twee personages uit een stille film die boven alles uitstegen. Goetgebuur volgde elke beweging van zijn echtgenote met de hyperactieve blik van een roofvogel.

Even verloor hij haar gratie uit het oog, maar dan merkte hij dat ze opeens haar zware hoofd op zijn arm legde. Ze bewonderde het infuus dat Goetgebuur al geruime tijd vloeibaar voedsel gaf. Het infuus dat hij tot zijn Huisdier Slang had gedoopt. Was het een reactie op dat vochtige zakje of was het de vochtigheidsgraad van de kamer? In ieder geval verliep het bij Aline Goetgebuur omgekeerd. Uit haar lichaam kwam vocht gedruppeld, in de vorm van een traan. Een doorzichtige materie waarin een hele wereld lag vervat.

Goetgebuur probeerde de traan weg te vegen tot ze ten slotte voor het eerst initiatief nam.

'Vergeef het me', zei een stem nog zachter dan de traan. En Goetgebuur besefte ineens hoe egocentrisch hij al die tijd was geweest. Hij was zo met zichzelf bezig geweest, dat hij volkomen was vergeten wat voor een hel het voor Aline moet zijn geweest. Nu pas drongen de schaamte en het onvermogen tot hem door. Een tweede schok deed de lach voor een tweede maal in korte tijd verstommen. Misschien was de hel voor haar, Aline Goetgebuur, nog groter dan voor het slachtoffer, Arthur Goetgebuur zelf!

'Nneeenn', tikte Goetgebuur als een uitzinnige op zijn Olivetti die op het versleten eetblad over zijn schoot stond. 'Het spppijt mmij nooog veeeel mmmeerrr!!'

Het meest ondenkbare was gebeurd. Goetgebuur had zijn echtgenote verplicht om een dubbelleven te leiden. Overdag speelde ze de sterke, onkreukbare verpleegster die journalisten en cameralui de laan uitstuurde. 's Avonds...

Ja, wat deed ze eigenlijk 's avonds?

Zonder hem? Zonder Goetgebuur?

Het begrip tijd is en blijft relatief, ook en misschien zelfs zeker in zulke irreële omstandigheden. Daarom sprong zijn geest op en neer, van de ene naar de andere kant, van het ene uiterste naar het andere, van het vertederende, liefdevolle weerzien naar de achterdochtige, ongezonde jaloezie.

Jazeker, overdag moest ze zich sterk houden, maar waar en hoe bracht ze haar eenzame avonden en nachten door? En met wie? Was het puur toeval dat Aline pas nu, na een maand, weer van zich liet horen? Of had ze haar toevlucht gezocht bij een minnaar, een oudere collega of een dokter waar ze altijd zo naar opkeek? Goetgebuur probeerde zich iemand voor de geest te halen. Hij zag een Dwerg die Guiseppe heette en een groot geslacht had. Hij zag de Identieke Gebroeders Romanov die voor dubbel genot konden zorgen...

Aline was altijd al een beetje onbereikbaar voor hem geweest, ook in zijn huwelijksleven. Hij verdiende haar niet. Mooie jongemannen of rijke, aantrekkelijke, oudere mannen met loszittende sweaters en een hoekig gezicht verdienden haar. Ze speelde op een hoger niveau.

Maar maakte het iets uit? Maakte iets eigenlijk nog iets uit?

Het enige wat telde, was dat zijn relatie nog niet verloren was. Als een laatste overgebleven houten vlot op de woelige oceaan, hadden ze allebei hun relatie nog net op tijd opgebruikt, tot het laatste snuifje liefde. (De lach, volgens verscheidene dokters, kon ook een bepaald deel van zijn hersenen hebben aangepakt waardoor Goetgebuur alsmaar meer begon te redeneren in vlakke, platte clichébeelden. Maar: vooralsnog niet bewezen.)

God, wat heb ik haar gemist, dacht Goetgebuur en even wilde hij dit duidelijk maken door over een kind te beginnen. Maar dat deed hij maar beter niet. De gedachte om met hem, in de gegeven gedaante, een kind op de wereld te zetten sprak op z'n minst tot de verbeelding. Naast deze uitzinnige gedachte kwam de vraag bovendrijven hoe Arthur en Aline Goetgebuur hun kind op de wereld zouden zetten. Neen, dat zag hij zelf nog niet voor zich. Hoe zou hij met de lach – of hoe zou de lach met hem – de liefde kunnen bedrijven met zijn echtgenote om een gezond en normaal kind te maken? Los van de fysieke moeite die hij zou hebben om zijn lichaam onder controle te houden en die zij zou hebben om toch opgewonden te blijven, was er de vraag of er toch geen erfelijk materiaal mee gemoeid was.

Dat laat ik dus beter nog even rusten, dacht Goetgebuur bij zichzelf en hij streelde de haren van Aline en dacht aan onschuldigere toekomstplannen met haar. Hij voelde zich opmerkelijk geborgen bij de gedachte dat Aline hem op vakantie in een luxueus zomers hotel als een invalide zou begeleiden naar het zwembad. Aline zou hem verzorgen. Aline zou hem koesteren. Aline zou zich excuseren bij de andere badgangers voor het ongemak. Aline zou zijn *buddy* zijn.

Buddy.

Het woord klonk zelfs toepasselijker dan echtgenote.

'Het is niet zo erg als het op televisie lijkt', zei Aline toen ze weer aan de deur stond na hem voor de vierde maal een afscheidskus te hebben gegeven. 'Het valt nog wel mee. Of misschien komt het doordat ik het al een beetje gewoon ben geworden.'

Nonsens, dacht Goetgebuur. Hij zat al meer dan een maand met deze nachtmerrie opgescheept en als hij het nog niet gewoon was geraakt, dan was niemand het gewoon geraakt. En hij hoorde de stormlach elke dag even luid.

Maar zo is Aline nu eenmaal, dacht hij er onmiddellijk bij. Zij is de rots in mijn branding. Haar grootste gave is om mensen er weer bovenop te helpen. Of althans, ze dat gevoel te geven.

Hoewel Goetgebuur geen reden meer had om te liggen piekeren, kon hij de slaap niet vatten. De laatste woorden van Aline bleven in zijn hoofd nazinderen. Kon het zijn dat zijn lach inderdaad op televisie zoveel harder en brutaler overkwam dan live? Of kon het zelfs dat de lach... aan het afnemen was?

Door alle tumult van de laatste dagen had Goetgebuur de oorsprong van alle kwaad en goed opzettelijk een beetje links laten liggen. En misschien was de lach inderdaad door psychologisch negeren weer in zijn hol gekropen? Opluchting moest opeens plaats ruimen voor paniek. Als dat werkelijk het geval was, dan kwam zijn opvoering van *Jesus' blood never failed me yet* ernstig in het gedrang. Meer nog, *Jesus' blood* zou wel degelijk falen. Net nu Goetgebuur de kans kreeg om een onuitwisbare indruk na te laten op de wereld, werd hij weer een gewone, grijze duif. Misschien, zo hoopte hij vurig, neemt de lach inderdaad af, maar heb ik nog net genoeg decibels over om het concert te laten doorgaan.

Goetgebuur bevond zich nu op een punt dat hij door en door kende. Hij was in een *cul-de-sac* aanbeland. Wat hij ook wenste, het zou hem hoe dan ook in gevaar brengen. Hij hoopte dat de opvoering alsnog niet verhinderd werd. Maar hij durfde niet te vurig te hopen uit vrees dat hij voor eeuwig met de lach door het leven moest gaan. En hij hoopte dat het einde werkelijk in zicht was. Maar dat durfde hij dan ook weer niet te vurig te hopen uit vrees dat hij zijn afspraak met de geschiedenis zou mislopen.

De laatste testen van Herr Doktor bewezen inderdaad dat de symptomen van de ziekte van Goetgebuur sterk aan het afnemen waren. De dokter wilde maar al te graag de plotse onverwachte beterschap verklaren: zijn eigen behandeling, de goede zorgen van het ziekenhuis, de rust... Maar het was duidelijk dat dokter Weemoedt door de ontelbare reeks proeven en onderzoeken zelf de draad van zijn behandeling was kwijtgeraakt. Hij wist niet eens meer welke medicatie hij Goetgebuur had toegediend, laat staan dat hij wist welke werkelijk voor het gewenste effect had gezorgd.

Neen, er leek maar één verklaring mogelijk.

Goetgebuur had zelf lang genoeg gevochten om er weer bovenop te komen. Hij had het allemaal aan zichzelf te danken. Of niet? Of was er helemaal geen beterschap en was dit weer het zoveelste complot? Het kon. Aline werkte voor het ziekenhuis. Zij zorgde voor de communicatie, ook naar de patiënten toe. Misschien hadden de dokters haar ingeschakeld om Goetgebuur ijdele hoop te geven, terwijl het eigenlijk nog meer bergaf ging. Misschien had hij nog maar enkele dagen te leven (verstikking?) en was het beter om hem in de waan te laten dat hij aan de beterhand was.

Ach, hij zou het wel merken als het zover was. Goetgebuur had zijn zenit bereikt, de rest kon hem worden gestolen. Zelfs zijn eigen leven.

En kijk, Goetgebuurs apathische desinteresse loonde de moeite. De tests en onderzoeken werden weer opgevoerd. Steeds meer dokters begonnen hem jovialer toe te spreken. Verpleegsters lieten hun schitterende kiezen weer zien. Kon het dan toch waar zijn?

'We hebben voldoende redenen om aan te nemen dat we het roer hebben kunnen omgooien, mijnheer Goetgebuur. U heeft de lach klein gekregen. We hebben er geen andere verklaring voor. U heeft het gedaan, net zoals krachtige en moedige mensen kanker kunnen overwinnen. Misschien hebben we uiteindelijk toch het verkeerde vak gekozen en loont de psyche meer dan het lichaam. Maar nu iets minder goed nieuws. Enfin, het voornaamste is natuurlijk dat u die vervelende lach kwijt bent. Daarbij bestaat echter de mogelijkheid dat u voorgoed af bent van die lach. We hebben opnieuw foto's kunnen nemen van uw gehemelte, huig, kaken, gebit en keelholte. We hebben ook een atroscopie verricht en de nawerking van deze behandeling is dat uw lachspieren ver te zoeken zijn. Ze zijn verdoofd. U kunt het vergelijken met iemand die drie maanden in het gips heeft gezeten en geen spieren meer in zijn been heeft. De toekomst zal uitwijzen of de vergelijking terecht is. We hebben zodanige ingrepen gedaan dat de zenuwen en de spieren die een menselijke lach op gang brengen, grondig zijn aangetast.'

Van dan af verliep alles heel vlot. Wanneer een erkend ziekenhuis een patiënt onder zijn dak heeft die niet langer ziek is of mediabelangstelling geniet, dan wordt de betreffende persoon vriendelijk verzocht zijn koffers te pakken en op te krassen.

Zo nam Arthur Goetgebuur op een dag, half april, met een verbazingwekkende krop in de keel afscheid van zijn kamer. Hij keek nog een laatste maal naar het lege prikbord, het net opgemaakte bed met de kartonnen lakens, het zwarte televisietoestel dat ooit een spiegel van zijn leven vormde. En hij keek naar zijn eigen gezicht: de belabberde mond, halfopen, bewegingloos, alsof die erop getekend was.

Terwijl Goetgebuur de lange gang doorliep, kon hij voor het eerst weer zijn eigen voetstappen horen.

'Het spreken zal moeizaam verlopen', verzekerde Herr Doktor von Stapelkrauzen hem terwijl hij begon te tapdansen en een driedubbele salto maakte. 'Het is zelfs niet zeker of u ooit weer normaal zult spreken. Maar geef de moed niet op...'

Diezelfde avond nog kreeg Goetgebuur onverwacht een telefoontje van Miranda. Getver, hij was haar weer een tijdje vergeten. Het was haar gave – in tegenstelling tot die van Aline – om keer op keer terug in het gat der vergetelheid te verdwijnen om dan opnieuw, geheel ongepast, weer op te duiken. Nu dook Miranda op tijdens een diner met kaarslicht ten huize Goetgebuur.

Aline had het hele huis in een onbeschrijflijk mooie, triestige sfeer ondergedompeld. Lugubere kaarsen, wierook, een zwarte jurk en een strijkje Mahler gaven het diner een ongelooflijke ernst en tragiek mee.

Miranda was blijkbaar nog niet op de hoogte van de onverwachte wending. Ze geloofde het zelfs niet. Ze zei iets over lafheid en faalangst en dacht dat Goetgebuur deed alsof. Maar hoe kon je doen alsof je niet meer lacht, als je maanden lang niets anders hebt gedaan dan lachen? Dat probeerde hij ook Miranda wijs te maken.

En ze zag er de relevantie van in.

'Kun je het dan niet *faken*, Arthur?' vroeg ze ten slotte ten einde raad. 'We hebben dit concert nodig. De affiches zijn gedrukt, de flyers zijn uitgedeeld, de concertzaal is gereserveerd en het koor is volop aan het repeteren. We hebben de opbrengst nodig.'

En hoewel de drugs nog niet waren uitgewerkt, kon Goetgebuur toch weer min of meer nadenken. Hoe kon hij zo stom geweest zijn om te geloven dat Miranda en co het zo goed met hem voorhadden? Had hij werkelijk gedacht dat ze geloofden in zijn kunnen? Hij had toch geen seconde geloofd dat de culturele vereniging handelde uit zoiets als 'zin voor kunst'?

Geld.

Dat was de voornaamste reden waarom ze in hem en zijn lach geloofden. Uitbuiting van zijn talent, daar ging het dus om. Welnu, de lach had afgehaakt en zo zou hij, Arthur Goetgebuur, ook afhaken. De vriendelijkheid zelve gaf hij zijn lidmaatschap op (al wenste hij hen nog veel succes met de opvoering van *Jesus' blood never failed me yet* en was hij ervan overtuigd dat ze wel een waardige vervanger zouden vinden). Miranda was ontgoocheld, uitzinnig, hysterisch en zelfs boos. Ze brak het gesprek bruusk af en Goetgebuur wierp snel de hoorn op de haak, want een hysterische lach- of huilbui, daar had hij nu wel eventjes zijn buik vol van.

Met een gerust gemoed en een regelmatige ademhaling ging Goetgebuur die nacht slapen. Hij probeerde er niet te vaak aan te denken, maar uiteindelijk kon hij niet anders dan zich misbruikt voelen en toen hij de volgende ochtend ontwaakte, merkte hij dat zijn linkeroog vochtig was. Hij ging er even met een nagel over en proefde het zout van een traan op zijn lippen. Een traan...

Goetgebuur keek door het raam van zijn bungalow en dacht terug aan die dag in de flat van zijn grootmoeder op de dijk, toen hij zich wilde verdrinken in de zee. Hij wist niet precies meer waarom. Een onbeantwoorde liefde, een niet-geslaagd jaar op de hogeschool of gewoon de tijd van het jaar. Hij was twintig en wanneer je twintig bent, heb je niet zoveel redenen nodig om drastische acties te ondernemen.

Een week na zijn ontslag uit het ziekenhuis was Goetgebuur thuis vroegtijdig wakker geworden, gekweld dit keer niet door een glimlach, maar door het gemis aan een glimlach. Het lag niet in zijn aard om melancholisch te worden omtrent de dingen, dat was veel te klef en veel te vermoeiend, maar in een paar dagen tijd had zijn leven plots nutteloos en eindig aangevoeld.

Vóór het incident met de glimlach had hij tenminste een leven gehad dat dermate hol en leeg was dat hij er weinig bij stilstond. En ten tijde van de glimlach was er natuurlijk die sleutelperiode geweest, maar nu bekroop Goetgebuur de angstaanjagende gedachte dat hij het voornaamste wel gehad had. Hij interesseerde zich voor niets of niemand meer, verweet Aline hem de laatste weken. Een dineetje bij de buren, zijn wekelijkse tennisonderonsjes, de nieuwe campagnes op zijn nieuwe werk, zelfs de seksuele driften die weer waren aangewakkerd, konden hem niet boeien. Hij vond het verwerpelijk en zelfs ziekelijk dat het gewone leven weer zijn draad had opgenomen, alsof 'de ervaring' (zoals Goetgebuur het was beginnen noemen) tot niets meer werd herleid dan een voetnoot in zijn bestaan.

'Het wordt tijd om het leven weer bij de horens te vatten, kameraad', zei Aline meer dan eens. Maar dat kon hij niet. Tenminste, hij kon wel, maar wilde niet. Wat betekende dat immers: het leven bij de horens vatten? Los van het feit dat het een verkeerde uitdrukking was? Op een ochtend in juni toen Goetgebuur, vóór hij naar zijn werk vertrok, naar de ochtendhemel staarde op zoek naar een teken van een hogere instantie, kwam hij ten slotte tot zijn eigen conclusie.

Goetgebuur voelde zich als die freaks die beweerden door UFO's ontvoerd te zijn en daarna geen afstand meer konden nemen van die unieke ervaring. Ze hadden iets zo unieks en zo ingrijpends meegemaakt dat de gewone sterveling en zijn omgeving er niet bij konden. Net als de (on)fortuinlijken die een bijnadoodervaring achter de rug hadden, voelde Goetgebuur zich op een lugubere wijze geprivilegieerd, zodanig dat hij zich verplicht tegen de sleur verzette. Sommigen hadden een tunnel met wit licht of een coma nodig om te beseffen dat het leven niet goedkoop was. Anderen, zoals Arthur Goetgebuur, moesten eerst door een lachkramp gaan om tot diezelfde vaststelling te komen.

'Echt waar, Arthur, je bent jezelf niet meer', zei Aline vaker en vaker. 'Ik herken je niet meer. Je bent zo serieus geworden. Vroeger was je misschien iets minder begaan met de dingen, maar je was tenminste niet zo doodserieus.'

Vreemd, dacht Goetgebuur zelf, want hij was niet veranderd, wel de wereld zoals hij die dagelijks observeerde. Na de zowel verschrikkelijke als ingrijpende ervaring kon hij het niet voor elkaar krijgen om het leven ook nog maar voor één seconde lichtzinnig op te vatten. Hoewel zijn naaste omgeving nog zo zijn best deed om hem zonder verpinken en strubbelingen weer op te nemen in die luchtige gemeenschap. Een gemeenschap waarin een glimlach veel te vaak, om de haverklap eigenlijk, zonder reden werd gebruikt. Goetgebuur vergeleek het graag met de filosofie van het woord. Het ging er volgens hem niet om welk woord je gebruikte, maar wel wannéér je het gebruikte. Een glimlach was voor hem iets kostbaars geworden. Zoals een porseleinen servies dat je maar bij een enkele plechtige gelegenheid uit de kast haalde. Net zoals de UFO-freaks weinig of niets hadden met al die vergezochte SF-series, zo had Goetgebuur weinig voeling met de glimlach in zijn meest alomtegenwoordige vorm.

Neen, terwijl hij daar die ochtend zijn weg zocht naar zijn kantoor en naar het verdere doel in zijn leven, moest Goetgebuur terugdenken aan die film van Woody Allen waarin een man de hele tijd denkt dat hij aan een hersentumor lijdt en bij het verlossende negatieve antwoord toch midden op de straat blijft stilstaan om de impact van het leven te doorgronden. Kon het zijn dat hij aan dezelfde kwaal leed?

Ja, dat kon, meer dan waarschijnlijk zelfs. Vanaf die dag zocht Arthur Goetgebuur driemaal per week, op oneven dagen, het kabinet van dokter Verbiest op, een gerenommeerde psychiater en neuroloog. In het begin hield Goetgebuur zijn bezoeken verborgen voor Aline, uit vrees dat ze er aanstoot aan zou nemen. Al bij al had ze haar eigen leven terug op de rails gezet en zou ze het toch maar weggegooid geld vinden. Want hoe groot Alines bewondering ook was voor de fysieke geneeskunde, zo wantrouwig stond ze tegenover de geestelijke. Allemaal kwakzalvers, had ze eens gezegd. Maar toen Aline iets begon te vermoeden en zinspeelde op een vermeende relatie met Miranda, kon Goetgebuur niet anders dan haar op de hoogte brengen.

'Waarom heb jij een psychiater nodig?' was haar eerste reactie. 'Gaat dit om je hypochondrie?'

Goetgebuur had graag willen knikken, willen beamen dat het inderdaad zo simpel lag. Maar dat was het helaas niet.

Hoe kon hij haar aan het verstand brengen dat hij zich bijzonder voelde en dat hij zich, bij gebrek aan erkenning, meer en meer opsloot in zijn eigen cocon? Jammer dat er trouwens geen zelfhulpgroepen bestonden voor lachpatiënten zoals de AA-vereniging of die groep voor abortusplegers. Ja, je had natuurlijk wel die zogenaamde lachclubs, een fenomeen dat was overgewaaid uit Engeland, waarbij mensen van allerlei slag op zondagnamiddagen in Hyde Park samenkwamen om een goed potje te lachen. Want – zo vertelde de lachmonitor hen – lachen was gezond. Goetgebuur had er een item op televisie over gezien. Het was beangstigend hoe die mensen daar allemaal door elkaar wandelden, een hand op elkaars schouder legden en hoe langer hoe meer tranen met tuiten lachten. Er was niets om mee te lachen, behalve het lachen zelf en hoezeer je je er ook tegen wilde verzetten: er was geen ontkomen aan. Een paar dwarsliggers wilden weleens de proef op de som nemen, maar werden uiteindelijk toch meegesleept door de grote stroom. Goetgebuur wist niet goed hoe hij moest reageren. Dat lachen was zo onwerelds dat hij wilde huilen.

Het kabinet van dokter Verbiest was meticuleus ingericht op de opvang van vooral neuroten en gezondheidsmaniakken die hun hand in hun mouw verstopten vóór ze een deur openden.

'Ik zal eerlijk met u zijn', stak Verbiest van wal. 'Ik behandel doorgaans neurotici van psychische aard. Dat wil zeggen, mensen die zo in de war zijn dat hun bijgelovigheid algauw een vast patroon aanneemt. U kent ze wel: mensen die voor het slapengaan viermaal de klok controleren of drie keer kort met de teen naast hun rechterslipper de grond aanraken. Ik heb gelezen over uw... neurologisch probleem als ik het zo mag stellen en ik moet toegeven dat uw bezoek me danig verrast.'

Het verraste Goetgebuur zelf ook wel een beetje, al voelde hij een warme gloed van herkenning en geluk door zijn lijf stromen. De gedempte sfeer, de serieuze stiltes en de nieuwsgierig-bezorgde blikken maakten dat hij zichzelf weer speciaal voelde.

Goetgebuur begon de psychiater uit te leggen wat eraan scheelde: gebrek aan slaap en eetlust, moedeloosheid, hoofdpijn en een algemeen gevoel van zwaarmoedigheid.

'We moeten natuurlijk rekening houden met een mogelijke reactie van uw lichaam op uw ervaring. Uw lichaam heeft de vuurdoop met succes doorstaan, maar het is volstrekt mogelijk dat u ontwenningsverschijnselen vertoont. Alle symptomen die u opnoemt, wijzen eigenlijk maar in één richting. Depressie. Heeft u het gevoel dat u in een diepe put wordt getrokken? Het gevoel dat niemand u begrijpt? Dat niemand meeleeft met uw toestand en uw doelloosheid?'

Al bij al was het ironisch, om niet te zeggen superironisch, dat Goetgebuur in een diepe depressie was weggezakt door de overleving van een traumatische ervaring als een lachbui. Maar was dat dan ook niet de essentie van bijvoorbeeld overlevenden van concentratiekampen uit de Tweede Wereldoorlog? Getuige daarvan was de joodse schrijver Primo Levi, die alle nazigruwel overleefd had en jaren, decennia later alsnog zelfmoord pleegde omdat hij de druk en het schuldgevoel niet aankon.

Schuldgevoel.

Daar raakte dokter Verbiest een teer punt.

'Voor we de behandeling aanvatten,' zei Verbiest zachtjes, 'moet ik natuurlijk eerst de voorgeschiedenis van deze ervaring kennen. Het is immers van vitaal belang om niet alleen het trauma, maar ook de kern van het trauma te erkennen. Alleen dan bent u in staat om het voorgoed van u af te schuiven.'

Maar ik wil het niet voorgoed van me afschuiven, dacht Goetgebuur. Het was te ingrijpend om het zomaar weg te lachen.

'Laten we eerst eens beginnen met uw persoonlijkheid te analyseren en te zien of daarin iets bruikbaars schuilt.'

Tijdens de rest van de sessie deed Goetgebuur zijn levensverhaal uit de doeken. Hij lag niet languit op een sofa en de psychiater noteerde niets in een boekje. Het ging er heel nonchalant aan toe, alsof ze twee oude schoolmakkers waren die wat bijpraatten.

Goetgebuur beperkte zich tot de mijlpalen in zijn met zijn stof bedekte leven. Eén ingrijpende gebeurtenis alvast was de historie van de zes jongen van de huiskat. Zijn vader had een vriend die ze wel wilde overnemen, maar hij had tijdens een van de gedempte gesprekken tussen zijn ouders opgevangen dat die vriend de katjes levend onder de grond had begraven. Of dat traumatisch genoeg was om van een trauma te kunnen spreken, was hem niet duidelijk. Dokter Verbiest probeerde nog te vissen naar soortgelijke incidenten, maar voor de rest bleek Arthur Goetgebuurs leven een vage herinnering te zijn geweest. Hij had het vervolgens nog over zijn eerste liefje, zijn verschillende banen en zijn willekeurige hobby's en concludeerde dan zelf maar hardop dat alles één grote schaduw was.

Goetgebuur was zijn hele leven lang een onopvallende figuur geweest en daar was eventjes verandering in gekomen door zijn lach. Tijdelijk maar. Soms had hij het gevoel dat mensen hem als lucht beschouwden. Het gebeurde zelfs dat hij op een vraag van iemand antwoordde en dat hij midden in een zin in de steek werd gelaten. Zomaar. Zonder reden. Het was gewoon een speling van de natuur: hij was onzichtbaar.

Op een dag las Goetgebuur een artikel over Salvador Dalí. Klaarblijkelijk leed Dalí in zijn jonge jaren aan een bepaald soort krampen die ongeveer tien tot vijftien minuten aanhielden. Het ging telkens om een soort lachkramp waarbij hij zich enkel met een scatologisch beeld kon bedwingen (zijnde een uil, bedekt met stront). Samen met deze krampen leed Dalí ook aan hallucinaties, met als enig verweer een uitzinnige routine van zelfbevrediging.

Nadat hij het artikel tweemaal had gelezen, bleef Goetgebuur in zijn studeerkamer bedenkelijk voor zich uitstaren, waarna hij in actie schoot en naar de badkamer vluchtte om tweemaal achter elkaar te masturberen. Pas na de daad viel het hem op dat deze volstrekt onnodig was geweest, aangezien hij geen last meer had van zijn lachkramp.

Diezelfde avond gingen de Goetgebuurs eten bij de broer van zijn vader en diens vrouw. De man in kwestie had zijn hele leven een hoge positie bekleed bij een belangrijk verzekeringskantoor, had zijn hele leven binnen de lijntjes geleefd en als er dus één iemand aanspraak had kunnen maken op een absurdistische aandoening als een lachkramp, was hij het wel. Hij had er ook het gepaste uiterlijk voor, al wist Goetgebuur niet precies wat het hem deed in dat uiterlijk. Een zeker *je ne sais quoi* wellicht. De tante van Goetgebuur was haar hele leven huisvrouw geweest en kwam uit een vrij aristocratische familie die aan het einde van de negentiende eeuw in een kasteel had gewoond. Het was een vrij sobere, strakke maaltijd, maar de tante was dan ook burgerlijk en traditioneel opgevoed. In het begin van zijn volwassen bestaan had Goetgebuur een zwak voor de zwakten van zijn oom, die zich zijn hele leven had opgewerkt en van bescheiden afkomst was. Hij had het voor elkaar gekregen zijn geliefde prinses uit het kasteel te strikken. Aanvankelijk kwam zijn tante vrij stroef uit de hoek en wist zijn oom hem te charmeren met zijn volkse, platvloerse woordspelingen die hij bewust maakte om zijn vrouw uit te dagen. Ze waren ongelukkig getrouwd en zoals Goetgebuur Aline ooit vertelde, moet zijn tante zelfs op de huwelijksnacht al in tranen zijn uitgebarsten. Maar naarmate hij er meer over de vloer kwam, voelde Goetgebuur de neiging om te denken dat zijn tante achter dat harde harnas een warme vrouw was, die hunkerde naar het verleden. En vanaf dan vertroebelde zijn onbehagen en kreeg hij medelijden met haar. Op de duur vond hij zijn eigen oom een lastpak, een treiteraar, ook al wist Goetgebuur dat hij gelijk had haar het leven zo zuur te maken. Maar er was iets veranderd, niet omdat er een inzicht was gekomen, maar veeleer omdat het tijd was om iets te veranderen. Zoals altijd reageerde Goetgebuur op zijn instincten en moest zijn leven blijven evolueren, zoals statistieken, of die veranderingen nu gerechtvaardigd waren of niet.

Die avond werd er tijdens het diner over van alles gesproken en gelachen, behalve over het voorval van de lach. Goetgebuur haalde het een paar keer expliciet aan, maar er werd gewoonweg niet op gereageerd. Hij kreeg nog meer medelijden met de vrouw des huizes toen hij besefte dat ze hem nooit was komen opzoeken in het ziekenhuis. Goetgebuur had het vaak niet durven toegeven tegenover Aline, maar dit keer kon hij er niet onderuit: hij had gefaald in zijn familie. Hij had gefaald zoals schoonzonen soms falen omdat ze geen universitair diploma hadden of een bril droegen.

Terwijl Goetgebuur zijn mond vulde met happen puree en slokken wijn, vermeed hij op die manier naar lucht te happen. Hij kreeg het benauwd en misschien bereikte te weinig zuurstof zijn hersenen. Op een gegeven moment stond hij op van zijn stoel, kroop op de tafel, nam het deksel van de stolp met kwaliteitskazen uit Frankrijk, greep de stukken één voor één vast en liet ten slotte zijn broek zakken om, gehurkt, een drol in de stolp te leggen. Misschien duurde het ogenblik te kort, want het leek wel alsof iedereen in de kamer rustig bleef zitten. Even dacht Goetgebuur dat hij niet werkelijk aan het kakken was, maar dat de actie slechts denkbeeldig was en dat hij enkele seconden later weer rustig op zijn stoel zou zitten, doelloos en verbitterd naar de stolp kazen starend, zonder drol. Maar hij was wel degelijk zijn behoefte aan het doen in de stolp en dat het een behoefte was, voelde hij door merg en been, terwijl hij zijn tanden op elkaar zette om alles eruit te persen. Ten slotte zag hij zijn oom opstaan en heel even vreesde hij een leuke woordspeling, maar gelukkig werd hij ruw van de tafel gestoten en belandde hij met zijn naakte kont op de vloer. Het verheugde hem dat iedereen zo serieus bleef, want anders was hij misschien gek aan het worden en zou niemand hem zo hardhandig hebben aangepakt.

Goetgebuurs tante stortte in bij de aanblik van de bruine, golvende massa onder de vitrine, en nog meer omdat het deksel door het kleine gevecht in duizend scherven op de grond uiteen was gevallen. Goetgebuur had er genoeg van en genoot van de blinde vlekken voor zijn ogen. Hij vond het sneu om zich zo prehistorisch te uiten tegenover zijn familie, in het bijzijn van zijn echtgenote, maar dat moest dan maar. Toen er uiteindelijk weinig of niets werd gerepliceerd, stond Goetgebuur op en verliet onaangekondigd de kamer. Als eerbetoon aan het onfatsoen en de onbeholpen brute overlevingsdrang waarmee hij vanaf dan door het leven ging, liet hij zijn broek tot op zijn knieën bengelen en strompelde letterlijk naar buiten. Hij draaide zich niet eens om, in de hoop Alines stem te horen die zijn familie iets wilde wijsmaken: 'Arthur maakt een lastige periode door.'

In de drol lag de frustratie van alle keren dat hij er op bezoek was en zich uit pure verveling terugtrok op het toilet. Het lag natuurlijk niet aan zijn familieleden, maar vaak sloot hij zich letterlijk op en luisterde als een misdadiger naar de doffe stemmen in de woonkamer. Hij wist dat ze het nooit over hem hadden en dus was er ook weinig reden om aanwezig te blijven.

Later diezelfde dag trok Goetgebuur uit zijn huis. Hij zou nooit meer terugkeren. Hij liet al zijn bezittingen na aan Aline, ook de wagen. Hij trok zich als monnik terug op een zolderkamertje in de studentenbuurt van de grootstad, net als een verloren gelopen Kafka die zijn eigen wetten had opgesteld. Hij had een hospita die stonk naar mottenballen, maar hij voelde er zich op zijn plaats. Er kwam geen enkel zelfmedelijden aan te pas. Dit zou zijn eiland worden waar hij zijn baard verder zou laten groeien tot hij zichzelf zou herontdekken of, in het andere geval, zou sterven.

De kamer bemeubelde hij met een paar oude spullen uit zijn kamer bij zijn moeder, die sinds kort een of andere betrekking had gevonden in een rusthuis en er toch geen blijf mee wist. Hij verzamelde alles op zijn zolderkamertje en besloot ertussen te sterven. Urenlang stond hij door het raam te staren naar de onpersoonlijke stad en uit verwantschap werd hij vaak overmand door een immens verdriet dat enorm deugd deed.

Goetgebuur voelde zich meer en meer langs alle kanten bestookt door bloedzuigers en gifslangen. Het was duidelijk dat hij niet meer dezelfde Arthur Goetgebuur was als voorheen. Net zoals na een vliegtuigcrash de overlevenden op zoek gingen naar hun eigen ik, zo moest hij zichzelf afzonderen, isoleren van alle andere externe factoren.

Hij had zonet dat derde, o zo belangrijke kruispunt in zijn leven in flitssnelheid genomen. Arthur Goetgebuur, wiens zorgeloze bestaan steunde op de simpele geneugtes van de suburbia en het prille gezin, stond nu op straat, als een man die net zijn schulden had afbetaald maar binnen de nacht nog clochard zou worden. Daarom overwoog hij zijn moeder te bellen en te vragen of hij niet bij haar mocht komen inwonen. Misschien zou hij zo dagelijks jonger en jonger worden, tot hij terug een baby was die de melk uit haar borsten zoog.

Hoe meer Goetgebuur zich opsloot in zijn zolderkamertje, hoe meer hij zichzelf begon te vergeten. Hij had van alles afstand genomen, *verplicht* afstand moeten nemen, als een gevangene die in de cel moet en zijn oude kleren op een hoopje achterlaat. De essentie van Goetgebuur verdween met de dag. Als hij op een terras zat, wist hij met zichzelf geen blijf. Hij gedroeg zich anders en wereldvreemd en had last van onbesuisde dwangmatige handelingen. Soms nam hij zijn mobieltje uit zijn binnenzak en deed hij alsof hij aan het bellen was, niet gewoon om zich een houding te geven, maar omdat het een houding was die hij zich wilde toe-eigenen. Oude herinneringen, foto's, brieven en vrienden had hij allemaal achter zich gelaten, en dat gapende gat in zijn leven wilde hij niet opvullen. Hij verwachtte een zekere opluchting en zelfs een openbaring door zijn nieuwe 'leven zonder eigenschappen' te laten voor wat het was, maar de waarheid was dat het gat daardoor alsmaar groter werd. Het dreigde zelfs zo groot te worden dat het een gevaar werd. Het begon met de grote mijlpalen in zijn persoonlijke geschiedenis: langzaam begonnen die te vervagen tot er niets of niemand meer overschoot. Wie waren de ouders en grootouders van Goetgebuur? Waar en wanneer was hij geboren en waar liep hij ooit school? De vragen stapelden zich op; Goetgebuur verdrong de antwoorden. Hij weerde ze uit zijn 'systeem', een woord dat hij liever was gaan gebruiken dan het woord 'leven'. Pas toen hij zich begon te verliezen in de leegte waar vroeger zijn herinneringen zaten, begon hij die op te vullen met verzinsels. De mystificatie van zijn leven kon niet groot en grof genoeg zijn. Waanbeelden en flarden van doordringende beelden en feiten nestelden zich in zijn hersencellen. Hij wist niet meer wie hij was. Meer nog, hij wist nu zelfs niet meer wie hij niet kon zijn. Het kon best zijn dat hij een aan alcohol verslaafde bruut was die zijn vrouw thuis afranselde. Of hij kon een verbitterde, impotente hoerenloper zijn. Wie zou het zeggen? Het werd alsmaar erger. Op eenzame nachten schoot

Goetgebuur wakker met de gedachte, neen, de overtuiging dat hij zijn ouderlijke gezin had uitgemoord en daarna de woning in brand had gestoken. Zijn vader, zijn moeder en zijn broers of zussen had hij met een jachtgeweer koelbloedig afgemaakt, zijn hond had hij in de vijver in de tuin verdronken. Dat waren de feiten die Goetgebuur verwelkomde in zijn nieuwe leven, ook al waren ze niet waar. Na de feiten kwamen de gevoelens die erbij hoorden. Het gevoel van verwondering en macht toen hij de kop van de hond in het koele water hield en de scheut van extase die door hem heen ging toen hij het onschuldige dier voelde spartelen om in leven te blijven. Het waren reacties en gevoelens die hij hier en daar had opgepikt: uit boeken, films, gesprekken, krantenberichten en om een of andere duistere reden had hij ze zich toegeëigend.

Het kon niet anders of de eenzaamheid en vervreemding hadden van hem een monster gemaakt. De vraag was alleen of hij ook vroeger al een monster was. Hoe dan ook, de stuiplach was een keerpunt in zijn leven geweest, een scharniermoment waarna de waarheid aan het licht moest komen. Al die tijd was hij een buitenstaander geweest. Jezus, waarom had hij dat nooit eerder gezien! Dan had hij dit alles nooit hoeven te doorstaan en kon hij al veel eerder een kogel door zijn hoofd hebben gejaagd! Het was altijd al zo duidelijk geweest. Die heimwee die hem altijd parten had gespeeld, was geen heimwee naar een plek van geborgenheid maar naar een plek van onbestendigheid. Die keren dat hij het gevoel had ergens te willen zijn, er aankwam om dan plots weer ergens anders te willen zijn... Het was nooit goed geweest! Waarom niet? Omdat het nooit goed kon zijn. Hij herinnerde zich die keer dat hij als freelance reporter naar Amsterdam moest reizen om een Amerikaanse misdaadschrijfster te interviewen. De ongelooflijke troosteloosheid die hij op de trein voelde, de onsterfelijke heimwee naar huis, ook al wist hij dat hij gelukkig moest zijn omdat hij niet naar huis wilde. In Amsterdam kon hij toen niet anders dan niet naar het hotel gaan voor het interview en lukraak een kathedraal bezoeken. Hij, die kathedralen haatte en op reis altijd weigerde er een voet binnen te zetten, liet zich onderdompelen in de koelte van een onbekende omgeving. En dat bekende gevoel van spijbelen, zelfs bij een leuke afspraak die veel geld kon opbrengen, was de enige troost.

Goetgebuur hield zich voor dat hij niet gek aan het worden was. Het mocht zo'n belachelijk simpele gang niet lopen, dacht hij. Er moet meer achter zitten en toen hij op een dag vond dat de vervolmaking van zijn nieuwe persoonlijkheid volbracht was, liep hij zo snel de trappen af naar beneden dat hij zijn lederen jekker vergat. Als een stuk ongedierte begaf hij zich op straat, de handen diep in zijn broekzakken gestoken. Hij had een stoppelbaard laten staan om de littekens van de lach te verbergen, ook al waren er geen. Hij liep die dag meer dan tien kilometer door de grootstad en probeerde zichzelf duizelig te maken. Helemaal buiten zinnen trok hij naar her en der, beschouwde vreemden als bekenden en stelde zich tegenstrijdig tegen het lot op. Vlak na de middag liep hij voorbij het raam van een prostituée. Hij stapte binnen, zonder kijken, niet om haar te betalen, maar om haar ten huwelijk te vragen. Toen het arme meisje hem angstig aankeek, gaf hij haar vijftig euro en vroeg het opnieuw. De gedachte dat ze ooit 'ja' zou antwoorden was nog geloofwaardiger dan dat Goetgebuur ooit weer normaal zou worden. Toen ze nog altijd niet wilde weten van zijn voorstel, bood hij haar tien euro meer om hem te doden. Het maakte niet uit op welke manier of met welke middelen. Het liefst van al wou hij worden afgemaakt als een hond, maar dat was misschien te veel gevraagd. Uiteindelijk kwam de pooier eraan te pas die hem hardhandig op straat klopte.

Toen nam hij een pauze en ging op een terrasje van een café zitten. Opeens kreeg hij een déjà vu, hoewel dat onmogelijk was omdat hij alle indrukken uit het verleden voorgoed uit zijn systeem had gewist. Er was geen Aline, Miranda, of jeugdvriend meer. Toch bleef hij in paniek om zich heen kijken om de lokatie te kunnen plaatsen in de context. Maar er was geen context meer. Er was enkel een *blue screen* van lege en onbestaande gedachten. Goetgebuur leefde op zijn eigen filmset, zonder rekwisieten, decors of personages. In de hoek van het terras zag hij een jonge blonde dame zitten met hoge laarsjes en felle lippenstift. Ze zag er fris en verwaaid uit en Goetgebuur meende de stof van haar handschoenen te herkennen. Hij wendde de blik af, beschaamd bijna, en sloot zijn ogen. Het begon zachtjes te regenen en het vocht gleed koninklijk van het vuile zeil boven hem. De druppels kwamen terecht in een halfvol kopje thee dat er verwaarloosd bijstond. Toen viel zijn oog op het halfdoorweekte theezakje dat ooit mooi rood was geweest, maar nu grijs-roze was geworden. Het lag letterlijk op de rand van het tafeltje. Er ging een rilling over zijn rug. Het kon elk moment naar beneden storten. Weer keek hij de andere richting uit. Ditmaal sprong de ober in het oog: een jonge snuiter die zijn fooi telde en knikte naar een hond die aan de leiband voorbijliep. Goetgebuur weigerde opzij te kijken, want hij wist dat de hond hem zat aan te kijken. Hij stond heel zeker uit alle macht te trekken aan de leiband en wilde Goetgebuur in het vizier krijgen. Goetgebuur wist er net genoeg aan te weerstaan. Maar het knaagde vanbinnen. Hij kon zijn lot niet ontlopen. Was hij aan het dromen? Lag hij nog steeds in het ziekenhuis, halfverlamd door een onverklaarbare lach? Als dat het geval was, dan had hij Aline geen vaarwel gezegd, dan had hij geen drol in een kaasstolp gelegd en dan had hij nog steeds zijn verdere bestaan voor zich.

Er was maar één manier om erachter te komen of hij in een droom leefde die hij begreep, of in een leven dat hij niet begreep. Hij stond op en net op dat moment kwam een moeder met haar baby langs. De baby lag in de kinderwagen en de moeder maakte van op afstand een praatje met iemand aan de overkant van de straat. Als in een film, waar alles noodzakelijk gechoreografeerd is en de positie van de personages door tape-aanduidingen op de grond vaststaat, liep Goetgebuur langs de kinderwagen. Hij schuurde langs de elleboog van de moeder die net haar geldbeugel uit haar handtas haalde. Ze stond op het punt om de bakkerij binnen te gaan, vlak naast het café.

Goetgebuur bleef even hangen en ving een blik op van de baby die hem aan de grond nagelde. Hoewel het maar een fractie van een seconde duurde, bleef het beeld voor altijd op zijn netvlies kleven. De baby glimlachte ongehoord, onbeschaamd, ongenuanceerd en onnodig. Er was werkelijk niets om om te glimlachen, dacht Goetgebuur en terwijl hij het hardop zei, keek hij naar boven, naar de hemel. Hij volgde de blik van de baby die naar de blauwe hemel staarde en om god-mag-weten welke reden lag te glimlachen. Goetgebuur voelde zich misselijk worden. Het ging door merg en been en net op tijd draaide hij zich om, weg van de moeder, om te kokhalzen. Hij hield zich gebukt, gericht naar de goot uit vrees dat hij moest kotsen, maar het kwam er gelukkig niet van. Toen hij lijkbleek rechtop ging staan, was de moeder in de bakkerij verdwenen en stond hij naast de kinderwagen.

Het was misschien een teken dat hij niet had gekotst of dat op dat moment een theezakje op de grond te pletter viel, maar Goetgebuur wachtte niet meer op een ingeving. Ingevingen bestonden niet meer en dus nam hij de kleine uit de kinderwagen en liep ermee weg, half onder zijn hemd verscholen, als een brood dat hij net had gekocht. Ditmaal liep hij geen tien kilometer meer door de grootstad. Hij hoorde stemmen komen uit het ritselen van de bladeren, uit het schuifelen van voetstappen op het trottoir en uit het drukke verkeer. Rustig liep hij door, bevrijd van de deliria, en op de hoek van de straat, bij het park waar een stadsmedewerker het gras aan het maaien was, wierp hij de baby ten slotte in een vuilniscontainer, als was het het laatste restje van een onverteerbare maaltijd.